DZIENNIK
CWANIACZKA

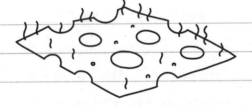

DZIENNIK CWANIACZKA

Zapiski Grega Heffleya

Jeff Kinney

Tłumaczenie
Anna Nowak

Nasza Księgarnia

DLA MAMY, TATY, RE, SCOTTA I PATRICKA

WRZESIEŃ

Wtorek

Najpierw musimy coś sobie wyjaśnić: to jest DZIENNIK, a nie pamiętnik. Co prawda na okładce znajduje się napis PAMIĘTNIK, ale kiedy mama szła do sklepu, powiedziałem jej WYRAŹNIE, żeby nie robiła mi takiego obciachu.

Świetnie. Brakuje tylko, żeby jakiś matoł zobaczył mnie z tym zeszytem pod pachą i pomyślał sobie nie wiadomo co.

Poza tym chciałbym od razu wyjaśnić, że to był pomysł mojej MAMY, a nie mój.

A jeżeli ona myśli, że będę tu pisał o swoich „uczuciach" albo innych takich, to chyba zwariowała. Więc nie spodziewajcie się wpisów w stylu: „Drogi Pamiętniczku to" albo „Drogi Pamiętniczku tamto".

Zgodziłem się z jednego powodu: doszedłem do wniosku, że jak kiedyś będę sławny i bogaty, to nie będzie mi się chciało odpowiadać na durne pytania różnych ludzi przez cały boży dzień. No i ten dziennik może się wtedy przydać.

Jak już powiedziałem, kiedyś będę sławny, ale na razie utknąłem w gimnazjum z bandą półgłówków.

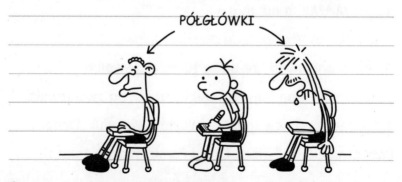

Chciałbym ogłosić oficjalnie, że moim zdaniem gimnazjum to najgłupszy pomysł na świecie. Macie tam dzieciaki, które, tak jak ja, jeszcze nie wystrzeliły w górę, wymieszane z gorylami, które muszą się golić dwa razy dziennie.

A potem wszyscy się zastanawiają, dlaczego w gimnazjach tak często silniejsze dzieciaki dają słabszym w kość.

Gdyby to ode mnie zależało, klasy tworzono by na podstawie wzrostu, a nie wieku. No ale wtedy ktoś taki jak Chirag Gupta ciągle tkwiłby w pierwszej klasie.

Dziś jest pierwszy dzień roku szkolnego i właśnie siedzimy sobie, czekając, aż nauczycielka skończy wreszcie zapisywać, kto gdzie siedzi. Doszedłem więc do wniosku, że równie dobrze mogę coś napisać, tak dla zabicia czasu.

Nawiasem mówiąc, dam wam dobrą radę związaną ze szkołą. Pierwszego dnia musicie bardzo uważać, gdzie siadacie. Człowiek wchodzi do klasy i rzuca swoje manele na byle którą ławkę, a wtedy nauczyciel obwieszcza:

MAM NADZIEJĘ, ŻE WSZYSCY SIEDZĄ TAM, GDZIE CHCĄ, BO OD TERAZ SĄ TO WASZE STAŁE MIEJSCA.

AAAAAAA!

W tej klasie utknąłem między Chrisem Hoseyem (przede mną) a Lionelem Jamesem (za mną).

Jason Brill się spóźnił i niewiele brakowało, a usiadłby z mojej prawej strony. Na szczęście w ostatniej chwili udało mi się do tego nie dopuścić.

Na następnej lekcji, jak tylko wejdę do klasy, usiądę wśród jakichś fajnych lasek. Chociaż jeśli tak zrobię, udowodnię tylko, że zeszły rok niczego mnie nie nauczył.

Rany, nie wiem, CO się ostatnio stało z dziewczynami.
W szkole podstawowej wszystko było dużo prostsze.
Wyglądało to tak: jeśli biegałeś najszybciej w całej
szkole, wszystkie dziewczyny były twoje.

A w piątej klasie najszybciej biegał Ronnie McCoy.

Teraz wszystko się skomplikowało. Teraz liczy się,
jakie ciuchy nosisz, ile masz kasy, czy masz zgrabny
tyłek i tak dalej. A Ronnie McCoy i jemu podobni
drapią się po głowach i kombinują, co się, do diabła,
stało.

Najpopularniejszym chłopakiem w moim roczniku jest
Bryce Anderson. A najbardziej wkurza mnie to, że ja
ZAWSZE interesowałem się dziewczynami, a tacy jak
Bryce ocknęli się dopiero w ciągu ostatnich kilku lat.

Pamiętam, jak Bryce zachowywał się w podstawówce.

Ale teraz, oczywiście, nie dostaję żadnych punktów za to, że wtedy stawałem po ich stronie.

Jak już mówiłem, Bryce jest najpopularniejszy w naszym roczniku, więc inne chłopaki mogą się już tylko bić o następne miejsca.

Według moich najlepszych obliczeń ja jestem na jakimś pięćdziesiątym drugim, pięćdziesiątym trzecim miejscu. Dobra wiadomość: niedługo przesunę się o jedno oczko w górę, ponieważ Charlie Davies, który jest przede mną, w przyszłym tygodniu dostanie aparat na zęby.

Próbuję wyjaśnić całą tę sprawę popularności mojemu przyjacielowi Rowleyowi (którego pozycja, nawiasem mówiąc, waha się w okolicach sto pięćdziesiątego miejsca), ale on chyba słucha jednym uchem, a wypuszcza drugim.

Środa

Dziś mieliśmy WF, więc kiedy tylko wyszedłem na dwór, zakradłem się na boisko do koszykówki, żeby zobaczyć, czy Ser dalej tam jest. Oczywiście był.

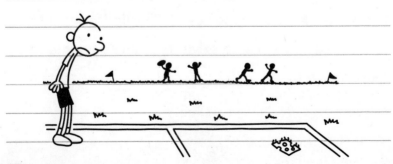

Ten plasterek Sera leży na asfalcie od zeszłej wiosny. Pewnie spadł komuś z kanapki czy jakoś tak. Po kilku dniach Ser zrobił się spleśniały i obrzydliwy. Nikt nie chciał grać na boisku do koszykówki, gdzie leżał Ser, chociaż było to jedyne boisko z siatką na koszu.

Któregoś dnia chłopak, który się nazywa Darren Walsh, dotknął Sera palcem i od tego zaczęła się zabawa w Serowy Dotyk. Działa to tak samo jak gra w syfa. Jak zaliczysz Serowy Dotyk, to masz przechlapane, dopóki go komuś nie przekażesz.

Przed Serowym Dotykiem można się bronić tylko na jeden sposób: krzyżując palce.

Tylko że nie tak łatwo jest trzymać skrzyżowane palce przez cały dzień. Ja kiedyś skleiłem moje taśmą, żeby ani na moment się nie rozkrzyżowały. Dostałem pałę z kaligrafii, ale naprawdę było warto.

Jeden dzieciak, Abe Hall, zaliczył Serowy Dotyk w kwietniu i do końca roku nikt się nawet do niego nie zbliżył. W lecie Abe przeniósł się do Kalifornii i zabrał Serowy Dotyk z sobą.

Mam tylko nadzieję, że nikt nie zacznie całej historii od nowa, bo nie potrzeba mi w życiu takiego stresu.

Czwartek
Strasznie mi ciężko przywyknąć do tego, że lato się skończyło, a ja muszę codziennie rano wstawać i iść do szkoły.

To lato nie zaczęło się zbyt obiecująco, a wszystko przez mojego starszego brata, Rodricka. Po kilku dniach wakacji Rodrick obudził mnie w środku nocy. Powiedział, że przespałem całe wakacje, ale na szczęście obudziłem się na czas i zdążę na rozpoczęcie roku.

Pomyślicie, że straszny ze mnie dureń, skoro się na to nabrałem, ale Rodrick miał na sobie szkolne ciuchy i przestawił mój budzik o kilka godzin, więc wyglądało to tak, jakby już było rano. A poza tym zaciągnął zasłony, więc nie mogłem zauważyć, że ciągle jest ciemno.

Kiedy mnie zbudził, ubrałem się i poszedłem na dół, żeby zrobić sobie śniadanie, tak jak co dzień.

Narobiłem chyba strasznego rumoru, bo zaraz na dół zbiegł też tata i wydarł się na mnie, że jem płatki o trzeciej nad ranem.

Dopiero po chwili połapałem się, o co chodzi. Powiedziałem tacie, że to Rodrick wyciął mi numer i że to na NIEGO trzeba się wydrzeć.

Tata zszedł do piwnicy, żeby ochrzanić Rodricka, a ja poszedłem za nim. Strasznie chciałem zobaczyć, jak Rodrick dostaje za swoje. Ale on nieźle zatarł ślady.

Tata na pewno ciągle uważa, że mam nie po kolei
w głowie.

Piątek

Dziś w szkole przypisano nas do grup czytelniczych.

Nikt nie mówi wprost, czy jesteś w grupie
zaawansowanej, czy w grupie podstawowej, ale można
się od razu połapać – wystarczy spojrzeć na okładki
książek, które nam dają.

Byłem raczej rozczarowany, kiedy okazało się, że przydzielono mnie do grupy zaawansowanej, bo to oznacza dużo więcej pracy.

Pod koniec zeszłego roku, podczas testów kompetencyjnych, zrobiłem, co mogłem, żeby w tym roku dostać się do grupy podstawowej.

Mama nieźle pilnuje dyrektora szkoły, więc założę się, że wzięła sprawy w swoje ręce i dopilnowała, żebym znowu dostał się do grupy zaawansowanej.

Ciągle powtarza, że jestem bystrym dzieckiem, tylko za mało się „przykładam".

Ale nauczyłem się od Rodricka jednej rzeczy: jeśli postarasz się, żeby ludzie mieli wobec ciebie niskie wymagania, możesz ich zaskoczyć przy minimalnym wysiłku.

PÓŹNIEJ...

Prawdę mówiąc, cieszę się jednak, że mój plan związany z grupą podstawową nie wypalił.

Widziałem, jak kilkoro z tych dzieciaków trzyma książki o Binku do góry nogami i nie sądzę, żeby robili to dla żartów.

<u>Sobota</u>
No, pierwszy tydzień roku szkolnego wreszcie się skończył, więc dziś spałem do późna.

W sobotę większość dzieciaków wstaje wcześnie, żeby oglądać kreskówki czy coś w tym stylu. Ja nie. W weekendy zwlekam się z łóżka tylko i wyłącznie wtedy, kiedy nie mogę już znieść woni własnego oddechu.

Niestety, tata codziennie wstaje o szóstej rano, świątek – piątek czy niedziela i nie bardzo przejmuje się tym, że próbuję wykorzystać sobotę jak przystało na normalnego człowieka.

Nie miałem dziś nic do roboty, więc poszedłem odwiedzić Rowleya.

Teoretycznie Rowley jest moim najlepszym przyjacielem, ale to się zdecydowanie może zmienić.

Unikam Rowleya od rozpoczęcia roku, bo wtedy zrobił coś, co mnie naprawdę wkurzyło. Kiedy po lekcjach

wyciągaliśmy nasze rzeczy z szafek, Rowley podszedł
do mnie i zapytał:

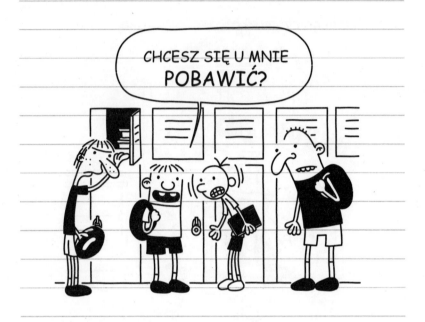

Mówiłem mu z miliard razy, że jesteśmy w gimnazjum,
więc nie mówi się „bawić", tylko „posiedzieć", ale mogę
strzępić język, następnym razem i tak zapomina.

Odkąd jestem w gimnazjum, dużo większą wagę
przykładam do mojego wizerunku. A ciągłe
towarzystwo Rowleya niezbyt mi pomaga.

Poznałem go kilka lat temu, kiedy wprowadził się do domu w mojej okolicy.

Jego mama kupiła mu książkę pod tytułem „Jak zdobywać przyjaciół w nowych miejscach", no i Rowley przychodził do mnie, żeby wypróbowywać te głupawe sztuczki.

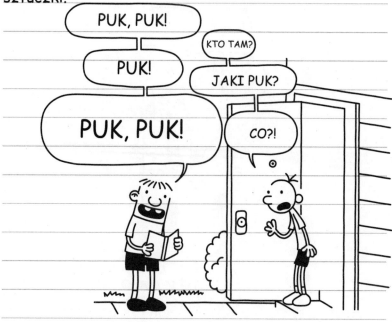

Chyba było mi trochę żal Rowleya i postanowiłem się nim zaopiekować.

Super jest się z nim kumplować, głównie dlatego, że mogę robić mu te same kawały, które Rodrick wycina MNIE.

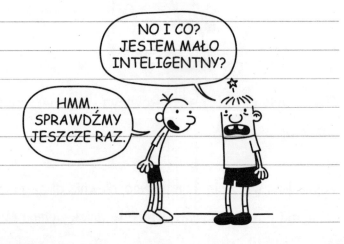

<u>Poniedziałek</u>

Pamiętacie, jak mówiłem, że robię Rowleyowi różne kawały? Mam też młodszego brata, Manny'ego, a nigdy, PRZENIGDY nie mógłbym sobie z nim pozwolić na takie numery.

Rodzice chronią Manny'ego, jakby był księciem albo kimś w tym rodzaju. No i on nigdy im nie podpada, chociaż powinien.

Wczoraj Manny narysował autoportret na drzwiach mojej sypialni. I to niezmywalnym pisakiem. Myślałem, że mama i tata dadzą mu popalić, ale jak zwykle byłem w błędzie.

Ale najbardziej wkurza mnie przezwisko, które nadał mi Manny. Kiedy był mały, nie potrafił wymówić słowa „brat", więc zaczął mówić do mnie „bab". I NADAL tak do mnie mówi, chociaż próbowałem zmusić rodziców, żeby go powstrzymali.

Na szczęście nikt z moich przyjaciół jeszcze się o tym nie dowiedział, ale wierzcie mi, niewiele brakowało.

Mama kazała mi zajmować się Mannym rano przed wyjściem do szkoły. Kiedy przygotuję mu śniadanie, zabiera swoją miskę z płatkami do salonu i siada na plastikowym nocniku.

A kiedy już ma iść do przedszkola, wstaje i wylewa wszystko, czego nie zjadł, do swojej toalety.

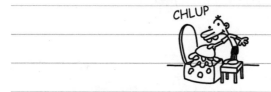

Mama zawsze mnie ochrzania, kiedy nie dojadam śniadania, ale gdyby musiała codziennie zdrapywać płatki kukurydziane z dna plastikowego nocnika, też nie miałaby apetytu.

<u>Wtorek</u>

Nie wiem, czy już o tym wspomniałem, ale jestem ŚWIETNY w grach wideo. Założę się, że w bezpośrednim starciu pobiłbym każdego z mojego rocznika.

Niestety, tata nie docenia moich zdolności. Zawsze wierci mi dziurę w brzuchu, żebym wyszedł z domu i był bardziej „aktywny".

No więc dzisiaj po obiedzie, kiedy znowu zaczął swoją śpiewkę o wychodzeniu z domu, spróbowałem wytłumaczyć mu, że na konsoli wideo można grać w piłkę nożną i siatkówkę, a przy tym wcale się człowiek nie męczy i nie poci. Ale tata, jak zwykle, nie zrozumiał mojej logicznej argumentacji.

Tata jest w sumie całkiem bystrym facetem,
ale czasem zastanawiam się, czy nie brakuje mu
zdrowego rozsądku.

Jestem pewien, że rozebrałby na części moją
konsolę do gier, gdyby tylko wiedział, jak się do tego
zabrać. Na szczęście ludzie, którzy robią te konsole,
zabezpieczają je przed rodzicami.

Za każdym razem, kiedy tata wykopuje mnie z domu, żebym uprawiał sport, idę po prostu do domu Rowleya i tam gram na konsoli.

Niestety, jedyne gry, jakie wolno mi przynieść, to wyścigi samochodowe i takie tam.

A wszystko dlatego, że kiedy tylko przynoszę jakąś grę do domu Rowleya, jego tata wchodzi na stronę internetową dla rodziców. I jeśli w grze jest JAKAKOLWIEK bójka czy przemoc, tata Rowleya nie pozwala nam w nią grać.

HMMM...

Ściganie się z Rowleyem w Formule 1 zaczyna mi już wychodzić uszami, bo on nie traktuje gry tak poważnie jak ja. Żeby go pobić, wystarczy na początku gry nadać swojemu samochodowi idiotyczne imię. A kiedy wyprzedzasz samochód Rowleya, on po prostu pokłada się ze śmiechu.

Kiedy już przeczołgałem dziś Rowleya po podłodze, wróciłem do domu. Kilka razy przebiegłem koło zraszacza sąsiadów, żeby wyglądać na spoconego. Tata chyba się nabrał.

Niestety, dostałem za swoje, bo kiedy zobaczyła mnie mama, kazała mi iść na górę i wziąć prysznic.

Środa

Wydaje mi się, że tata był z siebie bardzo zadowolony, kiedy wysłał mnie wczoraj na dwór, bo dziś zrobił to samo.

Zaczynam mieć tego dość. Za każdym razem, kiedy chcę pograć na konsoli, muszę iść do Rowleya. Jest taki dziwaczny dzieciak, Fregley, który mieszka w pół drogi między naszymi domami i zawsze kręci się koło podwórka Rowleya. No i trudno na niego nie wpaść.

Chodzę z Fregleyem na WF i on ciągle posługuje się językiem, który sam stworzył. Na przykład jak chce iść do ubikacji, mówi:

Ja i inne dzieciaki zdążyliśmy już rozgryźć Fregleya, ale nauczyciele jeszcze chyba nie łapią, o co biega.

Dzisiaj pewnie i tak poszedłbym do Rowleya, bo mój brat Rodrick i jego kapela mieli próbę w piwnicy.

Kapela Rodricka jest NAPRAWDĘ koszmarna i nie mogę wysiedzieć w domu, kiedy mają te swoje próby.

Zespół nazywa się Brudna Pielucha, ale na furgonetce Rodricka jest napisane: „Bródna Pieluha".

Pewnie myślicie, że to tak dla szpanu, ale założę się, że gdybyście mu powiedzieli, jak to napisać, bardzo by się zdziwił.

Tata nie chciał, żeby Rodrick założył kapelę, ale mama była zachwycona.

To właśnie ona kupiła Rodrickowi pierwszą perkusję.

Moim zdaniem mama chciałaby, żebyśmy wszyscy grali na różnych instrumentach i byli jednym z tych rodzinnych zespołów, które pokazują w telewizji.

Tata ma alergię na heavy metal, a to właśnie gra Rodrick i jego kapela. Mamie moim zdaniem nie robi żadnej różnicy, czego Rodrick słucha i co gra, bo dla niej każdy rodzaj muzyki brzmi tak samo. Dziś po południu Rodrick słuchał jednej ze swoich płyt w salonie, a mama weszła i zaczęła tańczyć.

To strasznie wkurzyło Rodricka, więc pojechał do sklepu i wrócił po kwadransie z parą słuchawek. I to w zasadzie rozwiązało problem.

Czwartek

Wczoraj Rodrick kupił nową płytę z heavy metalem. Na okładce była naklejka: „Ostrzeżenie dla rodziców".

Nigdy nie słuchałem płyt z takimi naklejkami, bo rodzice nie pozwalają mi ich kupować w centrum handlowym. Myślę więc, że będę mógł przesłuchać płytę Rodricka, tylko jeśli wyniosę ją ukradkiem z domu.

Dziś rano, po wyjściu Rodricka, zadzwoniłem do Rowleya i powiedziałem mu, żeby przyniósł odtwarzacz CD do szkoły.

Potem poszedłem do pokoju Rodricka i wziąłem płytę ze stojaka.

Nie wolno przynosić odtwarzaczy CD do szkoły, więc musieliśmy poczekać do przerwy na lunch, kiedy nauczyciele pozwalają nam wyjść na zewnątrz. Przy pierwszej okazji ja i Rowley zakradliśmy się na tyły szkoły i włożyliśmy płytę Rodricka do odtwarzacza.

Niestety, Rowley zapomniał o nowych bateriach, więc nic z tego nie wyszło.

Wtedy przyszedł mi do głowy pomysł na czadową zabawę. Trzeba założyć słuchawki na głowę i strząsnąć je bez pomocy rąk.

Zwycięzcą zostaje ten, kto szybciej zrzuci słuchawki.

Ustaliłem rekord na poziomie siedmiu i pół sekundy, ale wydaje mi się, że przy okazji naruszyłem sobie parę plomb.

W samym środku tej zabawy zza rogu wyszła pani Craig i przyłapała nas na gorącym uczynku. Zabrała odtwarzacz Rowleya i zaczęła się na nas wydzierać.

Ale chyba nie załapała, co my tam właściwie robiliśmy. Truła, że rock and roll jest „zły" i że zniszczy nasze mózgi.

Chciałem jej powiedzieć, że w odtwarzaczu nie było żadnych baterii, ale widać było, że nie należy przerywać. Poczekałem więc, aż skończy, i wtedy przytaknąłem: „Tak, psze pani".

Pani Craig już miała dać nam spokój, kiedy Rowley zaczął beczeć i powtarzać, że nie chce, żeby rock and roll zniszczył jego mózg.

Mówię serio, czasami ręce mi przy nim opadają.

<u>Piątek</u>

No dobra, zrobiłem to wreszcie.

Wczoraj w nocy, kiedy wszyscy byli już w łóżkach,
zakradłem się na dół, żeby posłuchać płyty Rodricka
na odtwarzaczu w salonie.

Założyłem nowe słuchawki Rodricka, podkręciłem
dźwięk na MAKSA i wcisnąłem przycisk „start".

Po pierwsze, muszę wam powiedzieć, że teraz
zdecydowanie rozumiem, dlaczego na płycie nakleili
„Ostrzeżenie dla rodziców".

Tyle że udało mi się przesłuchać raptem trzydzieści
sekund pierwszej piosenki i na tym się skończyło.
A to dlatego, że nie podłączyłem słuchawek do

odtwarzacza. No i muzyka leciała nie przez słuchawki, ale przez GŁOŚNIKI.

Tata zaprowadził mnie do mojego pokoju, zatrzasnął za sobą drzwi i powiedział:

Zawsze gdy tata używa w ten sposób słowa „kolega",
wiadomo, że mam przechlapane. Kiedy powiedział
tak do mnie pierwszy raz, nie połapałem się, że to
sarkazm, co osłabiło moją czujność.

KOLEGA = DOBRZE

Teraz już nie popełniam tego błędu.

Dziś wieczorem tata wydzierał się na mnie przez
dziesięć minut, aż chyba zdecydował, że woli leżeć
w łóżku, niż tkwić w moim pokoju w samej bieliźnie.
Powiedział mi, że mam dwutygodniowy szlaban na gry
wideo, czego się akurat spodziewałem. Właściwie
powinienem się chyba cieszyć, że na tym się
skończyło.

Z tatą jest o tyle dobrze, że kiedy się wścieknie,
szybko mu przechodzi i jest spokój. Zazwyczaj kiedy

narozrabiam w jego obecności, rzuca tym, co akurat
ma pod ręką.

DOBRY SPOSÓB NA ROZRABIANIE:

ZŁY SPOSÓB NA ROZRABIANIE:

Mama ma KOMPLETNIE inne metody karania. Jeśli
narozrabiam i ona mnie przyłapie, to po pierwsze,
obmyśla stosowną karę przez kilka ładnych dni.

W tym czasie muszę robić różne miłe rzeczy, żeby mi się upiekło.

Ale po paru dniach, kiedy człowiek zdąży już zapomnieć, że ma kłopoty, mama wali prosto między oczy.

<u>Poniedziałek</u>

Ten szlaban na gry wideo daje mi w kość bardziej,
niż się spodziewałem. Ale przynajmniej nie ja
jeden mam u nas w domu przechlapane. Rodrick też
podpadł mamie. Manny dorwał któreś heavymetalowe
czasopismo Rodricka, a na jednej stronie było zdjęcie
kobiety w bikini leżącej na masce samochodu. No
i Manny zabrał to zdjęcie do przedszkola, żeby
pokazać pani i innym dzieciakom.

Wydaje mi się, że mama nie była zachwycona, kiedy
do niej zadzwonili.

Sam widziałem to czasopismo i prawdę mówiąc, nie
było się o co tak ciskać. Ale mama nie pozwala, żeby
coś takiego znajdowało się w domu.

Za karę Rodrick musiał odpowiedzieć na serię pytań, które spisała dla niego mama:

Czy dzięki temu czasopismu stałeś się lepszym człowiekiem?

NIE.

Czy czasopismo przysporzyło ci popularności w szkole?

NIE.

Jak się teraz czujesz na myśl, że miałeś takie czasopismo?

Jest mi wstyd.

Czy chciałbyś powiedzieć coś kobietom w związku z tym, że miałeś takie czasopismo?

Przepraszam kobiety.

<u>Środa</u>

Cały czas mam szlaban na gry wideo, więc Manny bawi się moją konsolą. Mama poszła do sklepu i kupiła cały stos edukacyjnych gier. Oglądanie Manny'ego w akcji to absolutna męka.

Na szczęście wpadłem wreszcie na pomysł, jak przemycić część moich gier do domu Rowleya. Po prostu wkładam płytę do pudełka po „Poznawaniu alfabetu" Manny'ego i tata Rowleya daje nam spokój.

Czwartek

Dziś w szkole ogłoszono, że zbliżają się wybory samorządu uczniowskiego. Prawdę mówiąc, samorząd uczniowski nic mnie nie obchodzi. Jednak kiedy zacząłem się nad tym zastanawiać, doszedłem do wniosku, że gdyby wybrano mnie na skarbnika, moja sytuacja w szkole zmieniłaby się CAŁKOWICIE.

Albo jeszcze lepiej:

Nikt nigdy nie ubiega się o stanowisko skarbnika, bo wszystkim zależy tylko na takich prestiżowych fuchach jak przewodniczący albo wiceprzewodniczący. No więc pomyślałem, że jeśli się jutro zgłoszę, tytuł skarbnika będę miał praktycznie w kieszeni.

<u>Piątek</u>

Dzisiaj poszedłem zgłosić swoją kandydaturę na stanowisko skarbnika. Niestety, Marty Porter też się o nie ubiega, a jest całkiem dobry z matmy, więc może być trudniej, niż sądziłem.

49

Powiedziałem tacie, że kandyduję do samorządu uczniowskiego i staruszek strasznie się tym przejął. Okazało się, że kiedy był w moim wieku, też kandydował do samorządu i nawet wygrał.

Tata wygrzebał stare pudła z piwnicy i znalazł swój stary plakat wyborczy.

PRAWOŚĆ
UCZCIWOŚĆ
KOMPETENCJA

WYBIERZ

FRANKA HEFFLEYA
NA SEKRETARZA

Doszedłem do wniosku, że taki plakat to niezły pomysł, więc poprosiłem tatę, żeby zawiózł mnie do sklepu po niezbędne rzeczy. Kupiłem karton i pisaki i reszta nocy zeszła mi na przygotowywaniu materiałów do kampanii wyborczej. Mam nadzieję, że te plakaty zadziałają.

Poniedziałek

Przyniosłem dziś swoje plakaty do szkoły. Muszę przyznać, że dobrze wyglądają.

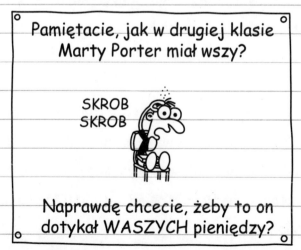

Zacząłem wieszać plakaty, kiedy tylko przyszedłem do szkoły. Wisiały może ze trzy minuty, kiedy zauważył je zastępca dyrektora, pan Roy.

Pan Roy powiedział, że nie wolno wypisywać takich „wymysłów" na temat innych kandydatów. Wytłumaczyłem mu, że ta historia z wszami to czysta prawda i że omal nie zamknęli przez nią całej szkoły.

Ale on i tak zdjął moje plakaty. I dlatego dzisiaj Marty Porter rozdawał wszystkim lizaki, żeby kupić sobie głosy, a moje plakaty wypełniały kosz na śmieci w gabinecie pana Roya. Coś mi się widzi, że to koniec mojej politycznej kariery.

PAŹDZIERNIK

<u>Poniedziałek</u>

Nareszcie zaczął się październik i jeszcze tylko trzydzieści dni do Halloween. To moje ULUBIONE święto, chociaż mama uważa, że jestem już za duży na chodzenie po domach i zbieranie słodyczy.

Halloween to także ulubione święto taty, choć z innych powodów. W ten wieczór, kiedy wszyscy inni rodzice rozdają cukierki, on chowa się w krzakach z wielkim kubłem pełnym wody.

I jeśli tylko jakieś starsze dzieciaki przechodzą koło naszego podwórka, zlewa je od stóp do głów.

Nie jestem pewien, czy tata dobrze zrozumiał ideę Halloween. Ale na pewno nie zepsuję mu zabawy.

Dziś w liceum Crossland było otwarcie Domu Duchów i namówiłem mamę, żeby zabrała tam mnie i Rowleya.

Rowley przyszedł do nas ubrany w swój kostium z zeszłego roku. Dzwoniłem do niego wcześniej i mówiłem, żeby włożył normalne ciuchy, ale on oczywiście mnie nie posłuchał.

Trudno, nie przejąłem się tym za bardzo. Nigdy wcześniej nie byłem w Domu Duchów w Crossland i postanowiłem, że Rowley mi tego nie popsuje. Rodrick opowiedział mi o tym miejscu i od trzech lat nie mogłem się doczekać, żeby je zobaczyć.

Kiedy podeszliśmy do wejścia, zacząłem się zastanawiać, czy rzeczywiście chcę tam wejść.

Wyglądało jednak na to, że mama zamierza mieć to szybko z głowy, więc wprowadziła nas do środka. Wewnątrz straszyli nas na całego. Były tam wampiry, które wyskakiwały na gości, ludzie bez głów i inne zwariowane rzeczy.

Najgorszy był Zaułek Piły Łańcuchowej. Stał tam wielki facet w masce hokeisty, z PRAWDZIWĄ piłą łańcuchową. Rodrick powiedział mi wcześniej, że ostrze piły jest gumowe, ale nie zamierzałem ryzykować.

Już zanosiło się na to, że facet z piłą nas dopadnie, ale wtedy wkroczyła mama i uratowała nam skórę.

Mama zażądała, żeby facet z piłą pokazał nam wyjście, i to był koniec naszej wizyty w Domu Duchów. Być może zachowanie mamy było trochę obciachowe, ale tym razem chyba jej odpuszczę.

Sobota
Ten Dom Duchów w Crossland dał mi do myślenia. Brali tam po pięć dolców od łebka, a kolejka była tak długa, że prawie okrążała szkołę.

Pomyślałem, że stworzę własny Dom Duchów. To znaczy, będę musiał zrobić to razem z Rowleyem, bo mama nie pozwoli, żebym zmienił całe pierwsze piętro w wypasiony Nawiedzony Dom.

Wiedziałem, że tata Rowleya też nie będzie zachwycony tym pomysłem, więc postanowiliśmy urządzić Nawiedzony Dom w ich piwnicy i po prostu nic nie mówić rodzicom Rowleya.

Ja i Rowley spędziliśmy prawie cały dzień na obmyślaniu czadowych planów Nawiedzonego Domu.

Oto ostateczna wersja:

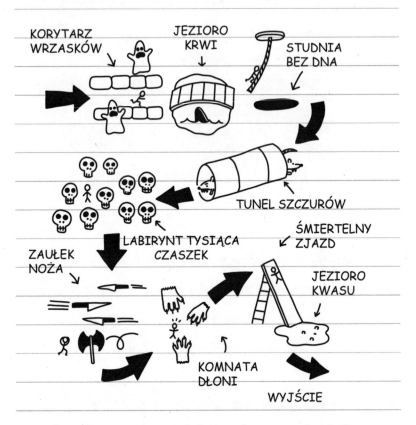

Nie chciałbym zadzierać nosa, ale nasz plan był
MILION razy lepszy niż Dom Duchów w liceum
Crossland.

Doszliśmy do wniosku, że trzeba by tę imprezę jakoś
rozreklamować, więc wzięliśmy papier i zrobiliśmy
trochę ulotek.

Prawdę mówiąc, naciągnęliśmy co nieco fakty w naszych reklamach, no ale przecież trzeba było ludzi przyciągnąć.

Kiedy już powiesiliśmy wszystkie ulotki w okolicy i wróciliśmy do piwnicy Rowleya, było wpół do trzeciej, a my nawet nie zaczęliśmy jeszcze urządzać Nawiedzonego Domu.

Musieliśmy więc uprościć trochę nasz plan.

O trzeciej skończyliśmy pracę i poszliśmy sprawdzić, czy ktoś się w ogóle pojawił. No i oczywiście na zewnątrz czekało ze dwadzieścioro dzieciaków z sąsiedztwa, ustawionych w kolejce do piwnicy Rowleya.

Wiem, że na ulotkach napisaliśmy „wstęp: 50 centów", ale od razu połapałem się, że mamy okazję zarobić niezłą kasę.

Powiedziałem więc dzieciakom, że wstęp kosztuje dwa dolce, a 50 centów to była pomyłka.

Pierwszym dzieciakiem, który wybulił dwa dolce, był Shane Snella. Dał nam kasę, a Rowley i ja wpuściliśmy go do środka, po czym zajęliśmy nasze pozycje w Korytarzu Wrzasków. Korytarz Wrzasków składał się po prostu z łóżka oraz mnie i Rowleya po obu jego stronach.

Być może trochę przesadziliśmy i Korytarz Wrzasków był zbyt przerażający, ponieważ w połowie seansu Shane zwinął się w kłębek pod łóżkiem. Próbowaliśmy namówić go do wyjścia, ale nie dał się ruszyć.

Zacząłem myśleć o tej całej kasie, którą traciliśmy z powodu jednego dzieciaka tkwiącego w Korytarzu Wrzasków, i doszedłem do wniosku, że trzeba go stamtąd wyciągnąć. Piorunem.

Po chwili do piwnicy zszedł tata Rowleya. Z początku ucieszyłem się na jego widok, bo pomyślałem, że może pomóc nam wyciągnąć Shane'a spod łóżka i na nowo uruchomić Nawiedzony Dom.

Ale tata Rowleya nie był w szczególnie pomocnym
nastroju.

Chciał wiedzieć, co robimy i dlaczego Shane Snella
kuli się pod łóżkiem. Wyjaśniliśmy, że piwnica jest
Nawiedzonym Domem i że Shane Snella ZAPŁACIŁ
nam za straszenie, jednak tata Rowleya w to nie
uwierzył.

Prawdę mówiąc, jak się człowiek rozejrzał dookoła,
to piwnica wcale nie wyglądała na Nawiedzony
Dom. Mieliśmy czas tylko na stworzenie Korytarza
Wrzasków i Jeziora Krwi, czyli starego, dziecinnego
baseniku Rowleya, do którego wlaliśmy pół butelki
keczupu. Próbowałem pokazać tacie Rowleya nasz
pierwotny plan, żeby udowodnić mu, że prowadzimy

tu całkowicie legalny interes, ale on nadal nie wyglądał na przekonanego.

Krótko mówiąc, był to koniec naszego Nawiedzonego Domu.

Na szczęście, ponieważ tata Rowleya nam nie uwierzył, nie musieliśmy oddać forsy Shane'owi. A zatem zarobiliśmy dziś dwa dolce.

<u>Niedziela</u>

Rowley dostał szlaban za tę całą wczorajszą hecę
z Nawiedzonym Domem. Nie wolno mu oglądać
telewizji przez tydzień, a na DODATEK nie może
mnie w tym czasie zapraszać do siebie.

To nie fair, bo w ten sposób karzą też mnie, a ja
przecież nie zrobiłem nic złego. No i gdzie ja mam
teraz grać w gry wideo?

Tak czy inaczej, zrobiło mi się żal Rowleya i dziś
próbowałem mu to wynagrodzić. Włączyłem jeden
z jego ulubionych programów i opowiedziałem mu
go scena po scenie przez telefon, żeby też czuł, że
wszystko ogląda.

Robiłem, co mogłem, żeby opowiedzieć mu, co się
dzieje na ekranie, ale jeśli mam być szczery, to nie
jestem pewien, czy Rowley w pełni to odbierał.

<u>Wtorek</u>

Szlaban Rowleya wreszcie się skończył i dobrze, bo
Halloween za pasem. Poszedłem do niego do domu,
żeby zobaczyć jego przebranie. Muszę przyznać, że
jestem trochę zazdrosny.

Mama Rowleya kupiła mu strój rycerza, który jest
DUŻO fajniejszy niż jego kostium z zeszłego roku.

Jako rycerz Rowley ma hełm i tarczę, i prawdziwy miecz, i WSZYSTKO.

Ja nigdy nie mam kostiumu ze sklepu. Nie wiem jeszcze, za co się przebiorę dziś wieczorem, więc pewnie wrzucę coś na siebie w ostatniej chwili. Wykombinowałem, że może znowu będę mumią z papieru toaletowego. Tylko że wieczorem ma padać, więc to chyba nie najlepszy pomysł.

Przez ostatnie kilka lat dorośli z sąsiedztwa krzywili się na moje marne stroje i zaczynam podejrzewać, że to mogło mieć wpływ na ilość słodyczy, które udawało mi się zebrać.

Nie mam jednak czasu na obmyślanie dobrego przebrania, bo muszę zaplanować najlepszą trasę dla mnie i Rowleya na dzisiejszy wieczór.

W tym roku obmyśliłem plan, dzięki któremu zgarniemy dwa razy więcej słodyczy niż rok temu.

Halloween

Na pół godziny przed wyjściem z domu na cukierkową rundkę nadal nie miałem kostiumu. Zacząłem się już nawet poważnie zastanawiać, czy drugi rok z rzędu mam pójść przebrany za kowboja. Ale wtedy do mojego pokoju zapukała mama i dała mi strój pirata, razem z przepaską na oko, hakiem i tak dalej.

Rowley przyszedł około wpół do siódmej w swoim stroju rycerza, ale wyglądał ZUPEŁNIE inaczej niż wczoraj. Jego mama wprowadziła różne poprawki, ze względu na bezpieczeństwo. W efekcie trudno było powiedzieć, za kogo właściwie jest przebrany. Mama Rowleya wycięła dużą dziurę z przodu hełmu, żeby Rowley lepiej widział, i okręciła go całego taśmą

odblaskową. Kazała mu też włożyć pod spód zimową
kurtkę, a zamiast miecza dała mu świecącą pałeczkę.

Wziąłem poszewkę na poduszkę i ruszyliśmy
z Rowleyem do wyjścia. Jednak mama zatrzymała nas,
zanim doszliśmy do drzwi.

Rany, jak mogłem nie zauważyć, że w tym kostiumie od mamy jest haczyk! Powiedziałem, że nie możemy zabrać z sobą Manny'ego, bo mamy zamiar oblecieć sto pięćdziesiąt dwa domy w trzy godziny. A poza tym chcemy pójść na Snake Road, a tam jest zbyt niebezpiecznie dla takiego malucha jak Manny.

Nie powinienem był tego mówić, bo mama z miejsca kazała tacie iść z nami i dopilnować, żebyśmy nie wystawili nosa poza naszą dzielnicę. Tata chciał się od tego wymigać, ale jak mama się uprze, to nie ma szans, żeby zmieniła zdanie.

Zanim jeszcze zeszliśmy z podjazdu, wpadliśmy
na naszego sąsiada, pana Mitchella, i jego syna,
Jeremy'ego. No więc oczywiście ONI też poszli
z nami.

Manny i Jeremy bali się podchodzić do domów
z przerażającymi dekoracjami, przez co odpadały
praktycznie wszystkie domy przy naszej ulicy. Tata
i pan Mitchell zaczęli rozmawiać o piłce nożnej czy
czymś takim i za każdym razem, kiedy jeden z nich
chciał powiedzieć coś ważnego, obaj stawali jak wryci.

W efekcie zaliczaliśmy jeden dom na dwadzieścia
minut. Po dwóch godzinach tata i pan Mitchell zabrali

smarkaczy do domu. Ucieszyłem się, bo to oznaczało, że Rowley i ja możemy wreszcie zacząć działać na serio. Moja poszewka była prawie pusta i chciałem w miarę możliwości nadrobić stracony czas.

Po chwili Rowley powiedział, że musi „siku". Kazałem mu wytrzymać jeszcze czterdzieści pięć minut, ale zanim dotarliśmy do domu mojej babci, stało się jasne, że jeśli nie puszczę go do łazienki, będziemy mieli problem. Powiedziałem więc Rowleyowi, że ma wrócić za minutę albo zacznę wsuwać jego cukierki.

Potem znowu ruszyliśmy w drogę. Problem w tym,
że było już wpół do jedenastej i większość dorosłych
uznała chyba, że Halloween się skończyło. Łatwo to
zauważyć, bo ludzie podchodzą do drzwi w piżamach
i patrzą na ciebie spode łba.

Postanowiliśmy wrócić do domu. Nieźle
wykorzystaliśmy czas po tym, jak tata zabrał
Manny'ego, więc byłem całkiem zadowolony z ilości
zebranych słodyczy.

Kiedy byliśmy w połowie drogi, nadjechała strasznie
hałaśliwa furgonetka, a w niej – grupa licealistów.

Jeden dzieciak z tyłu trzymał gaśnicę i kiedy nas mijali, nacisnął spust.

Muszę przyznać, że Rowley zatrzymał 95 procent piany swoją tarczą. A gdyby tego nie zrobił, wszystkie nasze słodycze kompletnie by przemokły.

Kiedy furgonetka odjechała, zrobiłem coś, czego natychmiast pożałowałem. Krzyknąłem:

Kierowca dał po hamulcach i furgonetka zawróciła.
Ja i Rowley ruszyliśmy pędem, ale oni siedzieli nam
na karku.

Jedynym bezpiecznym miejscem, jakie przyszło mi do
głowy, był dom mojej babci, więc przebiegliśmy przez
kilka podwórek, żeby się tam dostać. Babcia była już
w łóżku, ale wiedziałem, że zawsze trzyma klucz pod
wycieraczką na werandzie.

Kiedy dostaliśmy się do środka, wyjrzałem przez okno,
żeby sprawdzić, czy tamci goście pojechali za nami.
Oczywiście pojechali. Próbowałem ich zbajerować,
żeby dali sobie spokój, ale oni nie chcieli się ruszyć.

NO TAK, TERAZ
JESTEŚMY JUŻ CHYBA
BEZPIECZNI WE WŁASNYM
DOMU. NIC NAM NIE
ZROBICIE!

Po chwili zdaliśmy sobie sprawę, że te wyrostki postanowiły nas przeczekać, więc doszliśmy do wniosku, że musimy spędzić noc u babci. Wtedy poczuliśmy się pewnie i zaczęliśmy wrzeszczeć jak małpy, wydzierać się do tych gości i takie tam.

To znaczy ja wrzeszczałem jak małpa. Rowley wydawał coś na kształt sowiego pohukiwania, ale chodziło mu chyba o to samo.

Zadzwoniłem do mamy, żeby jej powiedzieć, że przekimamy się u babci. No i mama się wściekła.

Powiedziała, że to nie weekend i że mamy natychmiast wrócić do domu. A to oznaczało, że będziemy musieli biec jak szaleni. Wyjrzałem przez okno i tym razem nie zobaczyłem furgonetki. Wiedziałem jednak, że ci goście gdzieś się schowali i czekają tylko, żeby nas wywabić.

Wymknęliśmy się więc tylnymi drzwiami, przeskoczyliśmy przez płot babci i pędem pobiegliśmy do Snake Road. Doszedłem do wniosku, że tam mamy większe szanse, bo nie ma tam żadnych latarni.

Snake Road jest dość przerażająca nawet bez grupy ścigających cię wyrostków. Na widok każdego auta dawaliśmy nura w krzaki. Pokonanie niecałych stu metrów zajęło nam z pół godziny. Ale za to, wierzcie lub nie, udało nam się dotrzeć do domu i nikt nas nie złapał. Obaj zachowaliśmy pełną czujność, dopóki nie dotarliśmy do naszego podjazdu.

I właśnie wtedy usłyszeliśmy ten potworny wrzask i zobaczyliśmy wielką falę wody, która szła w naszą stronę.

Rany, kompletnie zapomniałem o tacie i słono za to
zapłaciliśmy.

Kiedy Rowley i ja weszliśmy do środka, wyłożyliśmy
wszystkie słodycze na stół kuchenny. Udało nam się
ocalić tylko kilka miętówek owiniętych w celofan
i szczoteczki do zębów, które dostaliśmy od doktora
Garrisona.

Tak sobie myślę, że za rok spędzę Halloween w domu
i zjem trochę tych biszkoptów, które mama trzyma
w salaterce na lodówce.

LISTOPAD

Czwartek

Dziś w drodze do szkoły przejechałem koło domu babci. W nocy został cały owinięty papierem toaletowym, co chyba nie powinno mnie dziwić.

Czuję się trochę winny, bo sprzątnięcie tego wszystkiego chyba potrwa jakiś czas. Ale z drugiej strony, babcia jest już na szczęście na emeryturze, więc pewnie i tak nie miała na dziś żadnych planów.

Środa

Na trzeciej lekcji pan Underwood, nasz nauczyciel WF-u, ogłosił, że przez następne sześć tygodni chłopcy będą uprawiać zapasy. Większość chłopaków w naszej szkole ma świra na punkcie zawodowych zapasów, więc pan Underwood mógł równie dobrze odpalić bombę.

Zaraz po WF-ie mamy przerwę na lunch i w stołówce było jak w domu wariatów.

Nie wiem, co nauczycielom strzeliło do głowy z tymi zapasami, ale jeśli nie chcę spędzić najbliższych sześciu tygodni zwinięty w precel, to muszę dowiedzieć się tego i owego na temat zapasów. Dlatego wypożyczyłem kilka gier wideo, żeby nauczyć się paru chwytów. I wiecie co? Po jakimś czasie zacząłem być w tym naprawdę niezły.

Mówiąc szczerze, inne dzieciaki z mojej klasy powinny zachować czujność, bo jeśli nie przestanę ćwiczyć, będą się miały kogo bać.

Z drugiej strony, nie mogę być ZBYT dobry. Jeden taki gość, Kris Bell, został wybrany Sportowcem Miesiąca, bo był najlepszym zawodnikiem w szkolnej drużynie koszykarskiej. No i jego zdjęcie powieszono na korytarzu.

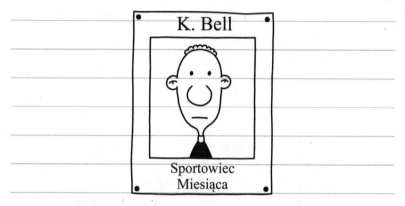

Już po pięciu sekundach wszyscy zauważyli, jak to brzmi, kiedy czyta się na głos, i potem Kris miał przechlapane.

Czwartek

Dziś okazało się, że zapasy, których uczy pan
Underwood, są ZUPEŁNIE inne niż zapasy w telewizji.

Po pierwsze, musimy nosić specjalne stroje do
zapasów, które wyglądają jak kostiumy kąpielowe
z dziewiętnastego wieku.

A po drugie, nie ma rzutów kafarowych, walenia ludzi
po głowach krzesłami ani niczego w tym stylu. Nie ma
nawet ringu z linami dookoła. Jest tylko przepocona
mata, która cuchnie, jakby nigdy jej nie prano.

Pan Underwood zaczął szukać ochotników, żeby pokazać typowe chwyty, ale za żadne skarby nie miałem zamiaru się zgłosić.

Ja i Rowley próbowaliśmy schować się na tyłach sali, koło kotary, ale tam ćwiczyły dziewczyny z sekcji gimnastycznej.

Piorunem się stamtąd wynieśliśmy i wróciliśmy do reszty chłopaków. Pan Underwood wybrał mnie, pewnie dlatego, że jestem najlżejszy w klasie i mógł rzucać mną na prawo i lewo bez wysiłku. Pokazał wszystkim, jak zrobić coś, co nazywał „półnelsonem", „wywrotką" i „rzutem na matę", i jeszcze parę innych rzeczy.

Kiedy wykonywał jeden ruch, który nazywa się „niesieniem strażaka", poczułem lekki powiew w dolnej części ciała i zorientowałem się, że mój kostium niezbyt dobrze mnie zakrywa.

Wtedy właśnie podziękowałem swoim szczęśliwym gwiazdom, że dziewczyny ćwiczą na drugim końcu sali.

Pan Underwood podzielił nas na kategorie wagowe. Na początku się ucieszyłem, bo oznaczało to, że nie będę musiał mocować się z kimś takim jak Benny Wells, który spokojnie wyciska 120 kilogramów.

Po chwili jednak zrozumiałem, z kim będę MUSIAŁ się mocować, i z miejsca chciałem zamienić się na Benny'ego Wellsa.

GREG, TWOIM PARTNEREM BĘDZIE FREGLEY.

Fregley jako jedyny z klasy zmieścił się w mojej kategorii wagowej. I najwyraźniej słuchał uważnie podczas pokazu pana Underwooda, bo przydusił mnie na wszystkie możliwe sposoby. Spędziłem całą siódmą lekcję, nawiązując z Fregleyem znajomość dużo bliższą, niż sobie życzyłem.

ŚWIST!

Wtorek

Te całe zapasy postawiły szkołę na głowie. Dzieciaki mocują się na korytarzach, w salach, wszędzie. Ale najgorsze jest piętnaście minut po lunchu, kiedy wypuszczają nas na zewnątrz.

Człowiek na każdym kroku potyka się o walczące dzieciaki. Ja sam staram się trzymać na dystans. I zapamiętajcie moje słowa: któryś z tych przygłupów wpadnie w końcu na Ser i cała heca z Serowym Dotykiem zacznie się od początku.

Mam jeszcze jeden problem: muszę codziennie ćwiczyć z Fregleyem. Na szczęście dziś rano wpadłem na pomysł. Jeśli uda mi się przenieść z kategorii wagowej Fregleya, nie będę już miał z nim do czynienia.

I dlatego dziś wypchałem ubrania skarpetkami i koszulami, żeby dostać się do wyższej kategorii. Niestety, ciągle byłem zbyt lekki.

Zrozumiałem, że naprawdę muszę zwiększyć swoją wagę. Najpierw przyszło mi do głowy, żeby jeść mnóstwo tłustego żarcia, ale potem wymyśliłem coś lepszego.

Postanowiłem, że potrzeba mi MIĘŚNI, a nie tłuszczu.

Nigdy wcześniej nie zależało mi na kondycji, ale z powodu zapasów zacząłem się tym przejmować. Doszedłem do wniosku, że trochę ćwiczeń może mi się później przydać.

Na wiosnę ruszają treningi piłkarskie i nauczyciel zawsze dzieli nas na drużyny w koszulkach i bez. I ja ZAWSZE trafiam do drużyny bez koszulek.

Moim zdaniem chodzi o to, żeby zawstydzić wszystkie pokraczne dzieciaki.

Jeżeli teraz trochę się napakuję, w kwietniu wszystko będzie wyglądać inaczej.

Dziś wieczorem, po kolacji, usiadłem z mamą i tatą i przedstawiłem im swój plan. Powiedziałem, że będę potrzebował zawodowego sprzętu do ćwiczeń oraz odżywek dla sportowców.

Pokazałem im też kilka czasopism zapaśniczych, które kupiłem w sklepie, żeby mogli zobaczyć, jak chcę być zbudowany.

Mama na początku nic nie powiedziała, ale tata strasznie się przejął. Chyba był zadowolony, że wreszcie zmieniłem zdanie i nie mówię już, tak jak kiedyś:

Mama uważała jednak, że jeśli chcę dostać sprzęt, muszę udowodnić, że wytrwam przy treningach. Powiedziała, że mogę to zrobić, ćwicząc brzuszki i pajacyki przez dwa tygodnie.

Musiałem jej wyjaśnić, że człowiek może się porządnie napakować, tylko kiedy ma takie wypasione urządzenia jak te na siłowni, ale mama nawet nie chciała tego słuchać.

I wtedy tata powiedział, że jeżeli chcę ławeczkę do wyciskania, powinienem ściskać kciuki i czekać na święta.

Tyle że święta są dopiero za sześć tygodni. A jeśli Fregley jeszcze raz mnie powali, zwariuję. Wygląda więc na to, że rodzice mi nie pomogą. Co oznacza, że jak zwykle będę musiał wziąć sprawy w swoje ręce.

Sobota

Nie mogłem się doczekać, żeby zacząć dziś trening. Mama nie zgodziła się wprawdzie na potrzebny mi sprzęt, ale postanowiłem, że to mnie nie powstrzyma.

Otworzyłem więc lodówkę i wylałem mleko oraz sok pomarańczowy. Potem napełniłem butelki piaskiem, przykleiłem je taśmą do kija od miotły i w ten sposób przygotowałem przyzwoitą sztangę.

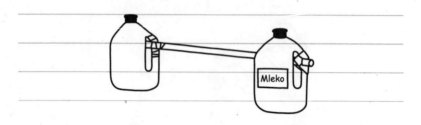

Potem zrobiłem ławeczkę z deski do prasowania i kilku pudeł. Teraz mogłem zabrać się do pakowania.

Potrzebowałem partnera, więc zadzwoniłem do Rowleya. Kiedy pokazał się u mnie w jakimś idiotycznym stroju, zrozumiałem, że zaproszenie go było błędem.

Kazałem mu wypróbować najpierw ławeczkę, głównie
po to, żeby sprawdzić, czy kij od miotły wytrzyma.

Rowley podniósł sztangę z pięć razy i chciał przestać,
ale mu nie pozwoliłem. Właśnie tak zachowuje się
dobry partner – wyciska z człowieka ostatnie poty.

Wiedziałem, że Rowley nie potraktuje treningu tak
poważnie jak ja, więc postanowiłem przeprowadzić
eksperyment i przetestować jego podejście.

W połowie ćwiczeń założyłem sztuczny nos i wąsy,
które Rodrick trzyma w szufladzie z rupieciami.

I kiedy Rowley trzymał sztangę na dole, pochyliłem się i spojrzałem na niego.

No i oczywiście Rowley KOMPLETNIE się zdekoncentrował. Nie mógł nawet zdjąć sztangi z piersi. Chciałem mu pomóc, ale zrozumiałem, że jeśli nie nauczy się traktować tego na serio, nigdy nie osiągnie mojego poziomu.

W końcu musiałem go jednak poratować, bo zaczął gryźć butelkę po mleku, żeby wysypać z niej piasek.

Kiedy zlazł z ławki, przyszła moja kolej. Ale Rowley stwierdził, że nie ma już ochoty na ćwiczenia, i poszedł do domu.

Wiecie co? Czułem, że może wyciąć mi taki numer. No ale nie można chyba oczekiwać od wszystkich, że będą tak zaangażowani jak ja.

Środa

Dziś na geografii mieliśmy sprawdzian i muszę przyznać, że od dawna na niego czekałem. Sprawdzian dotyczył stolic stanów, a ja siedzę z tyłu, tuż pod ogromną mapą Stanów Zjednoczonych. Wszystkie stolice są tam zapisane czerwonymi drukowanymi literami, więc wiedziałem, że mi się uda.

Ale na moment przed sprawdzianem Patty Farrell
pisnęła z pierwszego rzędu:

Patty powiedziała panu Irze, że powinien zakryć mapę
Stanów Zjednoczonych, zanim zaczniemy pisać.

No i przez Patty oblałem test. Teraz muszę znaleźć
sposób, żeby się na niej odegrać.

<u>Czwartek</u>

Dzisiaj mama przyszła do mojego pokoju z ulotką w dłoni. Jak tylko zobaczyłem tę ulotkę, wiedziałem, co się święci.

Było to ogłoszenie o przesłuchaniach do świątecznego przedstawienia. O rany, trzeba było wyrzucić tę ulotkę, kiedy znalazłem ją na stole kuchennym.

BŁAGAŁEM mamę, żeby mnie do tego nie zmuszała. Te szkolne przedstawienia to na ogół musicale, a ja na pewno nie powinienem śpiewać solo przed całą szkołą.

Niestety, moje błagania upewniły tylko mamę, że powinienem wystąpić.

Oświadczyła, że jeśli mam być „wszechstronny",
muszę próbować różnych rzeczy.

Tata przyszedł sprawdzić, co się dzieje. Powiedziałem
mu, że mama zmusza mnie do występu w szkolnym
przedstawieniu i że jeśli będę musiał chodzić na
próby, zakłóci to moje treningi w podnoszeniu
ciężarów.

Wiedziałem, że tata stanie po mojej stronie. Rodzice
kłócili się przez chwilę, ale tata nie dorastał mamie
do pięt.

Co oznacza, że jutro muszę pójść na przesłuchanie do
szkolnego przedstawienia.

Piątek
Sztuka, którą wystawiamy w tym roku, to
„Czarnoksiężnik z Krainy Oz". Mnóstwo dzieciaków
przyszło w strojach postaci, które chciało grać.

Ja nie widziałem nawet filmu, więc czułem się jak na konkursie dziwadeł.

Pani Norton, nasz reżyser, kazała wszystkim śpiewać „Ukochany kraj", żeby usłyszeć nasze głosy. Ja śpiewałem z kilkoma innymi chłopakami, których mamy też zmusiły do przyjścia. Starałem się śpiewać jak najciszej, ale oczywiście i tak mnie wybrano.

Nie mam pojęcia, co to jest „sopran", ale parę
dziewczyn zaczęło chichotać w taki sposób, że na
pewno nie jest to nic dobrego.

Przesłuchania trwały wieczność. Na samym końcu
były próby do roli Dorotki, która jest chyba główną
postacią w sztuce.

I jako pierwsza wystąpiła sama Patty Farrell.

Od razu pomyślałem, że powinienem zagrać
Czarownicę, bo usłyszałem, że w sztuce Czarownica
robi Dorotce różne paskudne rzeczy.

Ale potem ktoś mi powiedział, że są dwie Czarownice:
dobra i zła. Założę się, że dostałbym rolę tej dobrej.

<u>Poniedziałek</u>

Miałem nadzieję, że pani Norton wytnie mnie ze sztuki, ale dziś ogłosiła, że każdy, kto przyszedł na przesłuchania, dostanie jakąś rolę. Ja to mam szczęście. Pani Norton pokazała nam film „Czarnoksiężnik z Krainy Oz", żeby wszyscy wiedzieli, o co chodzi. Próbowałem zgadnąć, kogo powinienem grać, ale właściwie każda postać musi w pewnym momencie śpiewać albo tańczyć. Jednak w połowie filmu wiedziałem już, do czego się zgłosić. Postaram się o rolę Drzewa, ponieważ: 1) Drzewa nie śpiewają, 2) Drzewa atakują Dorotkę jabłkami.

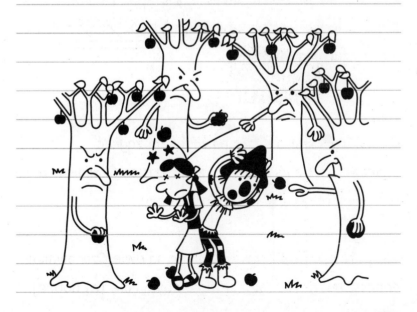

Gdybym mógł stłuc Patty Farrell jabłkami na oczach widowni, spełniłoby się moje marzenie. Może kiedy będzie już po wszystkim, podziękuję jeszcze mamie za to, że kazała mi się zgłosić.

Po filmie zgłosiłem się do roli Drzewa. Niestety, kilku innych chłopaków wpadło na ten sam pomysł. Wygląda na to, że nie ja jeden mam porachunki z Patty Farrell.

Środa

Mama zawsze powtarza, że człowiek powinien być ostrożny, kiedy czegoś sobie życzy. Dostałem rolę Drzewa, ale wcale nie wiem, czy to dobrze. Kostiumy Drzew nie mają wcale otworów na ręce, więc chyba nici z rzucania jabłkami.

Pewnie powinienem uważać się za szczęściarza, bo przynajmniej mówię coś w tej sztuce. Mnóstwo dzieciaków przyszło na przesłuchania, a ról jest za mało, więc stworzono nowe postaci.

Rodney James chciał zagrać Blaszanego Drwala, a został zwykłym Krzakiem.

Piątek

Pamiętacie, jak napisałem, że mam rolę mówioną? No więc dziś okazało się, że w całej sztuce wygłaszam tylko jedną linijkę. Odzywam się, kiedy Dorotka zrywa jabłko z mojej gałęzi.

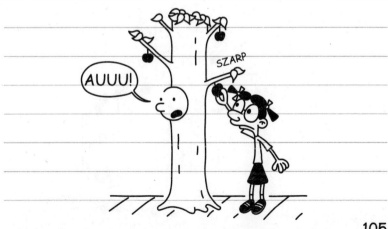

Oznacza to, że codziennie będę musiał przychodzić na dwugodzinną próbę tylko po to, żeby powiedzieć jedno jedyne słowo.

Dochodzę do wniosku, że Rodney James ma lepiej jako Krzak. Wpadł na pomysł, żeby przemycić grę wideo do swojego kostiumu, i dzięki temu czas na pewno szybciej mu płynie.

BIP
BUP
BIP
BUP

Teraz zastanawiam się, jak skłonić panią Norton, żeby wykopała mnie z przedstawienia. Problem w tym, że jak ma się tylko jedno słowo do powiedzenia, trochę trudno to schrzanić.

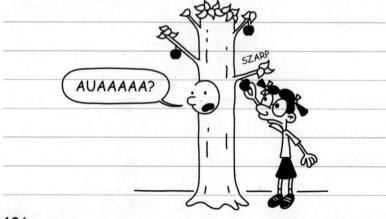

AUAAAAA?

SZARP

Czwartek

Premiera sztuki już za parę dni, a ja ciągle nie
mam pojęcia, jak my sobie poradzimy. Po pierwsze,
nikomu nie chciało się nauczyć tekstu, co jest winą
pani Norton, która podczas prób szepcze wszystkie
kwestie z boku sceny.

Zastanawiam się, jak to będzie w przyszły wtorek,
kiedy pani Norton usiądzie przy pianinie, dziesięć
metrów od sceny.

A najgorsze jest to, że pani Norton ciągle dodaje nowe sceny i nowe postaci.

Wczoraj przyprowadziła pierwszoklasistę, który ma grać psa Dorotki, Toto. Ale dziś przyszła mama tego smarkacza i powiedziała, że jej dzieciak ma chodzić na dwóch nogach, bo pełzanie na czworakach byłoby „poniżające".

I teraz mamy psa, który przez cały czas chodzi na tylnych łapach.

Co najgorsze, pani Norton napisała piosenkę, którą mają śpiewać Drzewa, czyli my. Powiedziała, że każdy „zasługuje" na to, żeby coś zaśpiewać, więc dziś

spędziliśmy godzinę, ucząc się najkoszmarniejszej
piosenki na świecie.

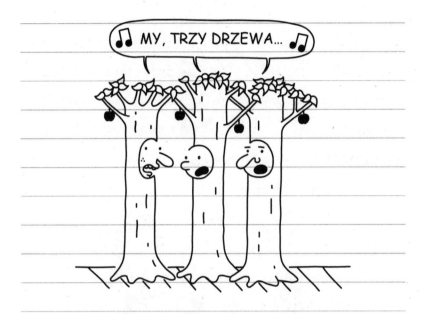

Chwała Bogu, że Rodricka nie będzie na widowni
i że nie zobaczy, jak się upokarzam. Pani Norton
powiedziała, że przedstawienie będzie „raczej
uroczystym" wydarzeniem, a ja wiem, że Rodrick
za żadne skarby nie założy krawata z okazji
przedstawienia w gimnazjum.

W sumie dziś nie było tak źle. Pod koniec próby
Archie Kelly potknął się o Rodneya Jamesa i ukruszył
sobie ząb, bo nie mógł wyciągnąć rąk przy upadku.

Dobra nowina: pozwolili Drzewom wyciąć otwory
na ręce przed występem.

Wtorek

Dziś odbył się wielki pokaz szkolnej produkcji
„Czarnoksiężnika z Krainy Oz". Jeszcze przed
spektaklem wiadomo było, że nie wszystko idzie
jak trzeba.

Wyjrzałem zza kurtyny, żeby sprawdzić,
ile osób przyszło na przedstawienie,
i zgadnijcie, kto stał na samym przedzie.
Mój brat Rodrick w przypinanym
krawacie. Pewnie usłyszał, że będę
śpiewał, i nie mógł odpuścić okazji,
żeby narobić mi obciachu.

Sztuka miała zacząć się o dwudziestej, ale wszystko się opóźniło, bo Rodney James dostał napadu tremy.

Można by sądzić, że jeśli ktoś ma siedzieć na scenie i nic nie robić, to jakoś weźmie się w garść i wytrzyma jeden występ. Jednak Rodney ani drgnął i w końcu jego mama musiała go wynieść.

Przedstawienie zaczęło się około wpół do dziewiątej. Tak jak przewidziałem, nikt nie pamiętał dialogów, ale pani Norton ze swoim pianinem jakoś przesuwała całość do przodu.

Dzieciak, który grał Toto, przyniósł na scenę taboret
oraz stos komiksów i to całkiem położyło „efekt psa".

Kiedy nadszedł moment sceny w lesie, ja i inne
Drzewa wskoczyliśmy na miejsca. Kurtyna się
rozsunęła i wtedy usłyszałem głos Manny'ego:

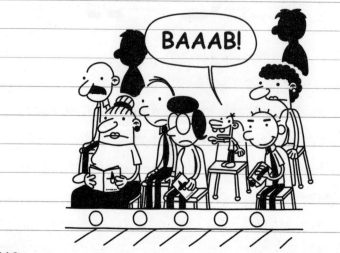

Super. Przez pięć lat udało mi się zachować to przezwisko w tajemnicy, a teraz poznało je całe miasto. Czułem, jak trzysta par oczu kieruje się w moją stronę.

Zdecydowałem się więc na błyskawiczną improwizację i udało mi się skierować podejrzenia na Archiego Kelly.

Jednak największy obciach był dopiero przed nami. Kiedy usłyszałem, że pani Norton gra kilka pierwszych taktów piosenki „My, trzy Drzewa", żołądek podszedł mi do gardła.

Zerknąłem na widownię i zauważyłem, że Rodrick trzyma kamerę wideo.

Wiedziałem, że jeśli zaśpiewam piosenkę i Rodrick ją nagra, to zachowa tę taśmę na zawsze i będzie mnie nią dręczył do końca życia.

Nie wiedziałem, co zrobić, więc kiedy nadszedł czas śpiewania, po prostu trzymałem dziób na kłódkę.

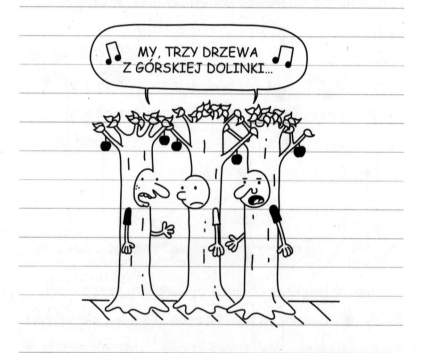

Przez kilka sekund wszystko było w porządku. Uznałem, że jeśli nie będę śpiewał piosenki, to Rodrick nie będzie miał czym mnie szantażować. Ale już po chwili pozostałe Drzewa zauważyły, że nie śpiewam.

Pomyślały pewnie, że wiem coś, czego one nie wiedzą,
więc też przestały śpiewać.

Teraz cała trójka stała na scenie bez słowa. Pani
Norton stwierdziła na pewno, że zapomnieliśmy
tekstu, więc podeszła do sceny i zaczęła szeptem
podpowiadać nam słowa piosenki.

Piosenka trwa raptem trzy minuty, ale ja miałem wrażenie, że minęło z półtorej godziny. Modliłem się tylko, żeby kurtyna wreszcie opadła i żebyśmy mogli zeskoczyć ze sceny.

I wtedy zauważyłem Patty Farrell stojącą za kulisami. Gdyby spojrzenie mogło zabijać, my, Drzewa, padłybyśmy trupem. Patty myślała chyba, że odbieramy jej szansę występu na Broadwayu czy coś takiego.

Widok Patty z boku sceny przypomniał mi, dlaczego w ogóle zgłosiłem się do roli Drzewa.

Dosyć szybko pozostałe Drzewa też zaczęły rzucać jabłkami. Wydaje mi się, że nawet Toto do nas dołączył. Ktoś strącił okulary z nosa Patty i jedno szkło się stłukło. Pani Norton musiała teraz przerwać przedstawienie, bo bez okularów Patty nie widzi dalej niż na pół metra.

Po występie cała moja rodzina wróciła razem do domu. Mama przyniosła bukiet kwiatów, które chyba miały być dla mnie, ale w końcu wyrzuciła je do kosza, kiedy szliśmy w stronę wyjścia.

Mam tylko nadzieję, że wszyscy widzowie bawili się równie dobrze jak ja.

Środa

No, przedstawienie miało jeden dobry skutek – nie
muszę się już martwić o przezwisko „Bab".

Dziś po piątej lekcji widziałem, jak męczą Archiego
Kelly, więc wygląda na to, że będę miał święty
spokój.

Niedziela

Przez to całe zamieszanie w szkole nie miałem nawet
czasu, żeby pomyśleć o świętach. A święta już za
dziesięć dni. Prawdę mówiąc, przypomniałem sobie

o tym dopiero, kiedy Rodrick wywiesił swoją listę
życzeń na lodówce.

Lista życzeń
Rodricka

1. Nowa perkusja
2. Nowa furgonetka
3. Zminiaturyzowana
   ludzka głowa

Ja zawsze układam długą listę, ale w tym roku zależy
mi tylko na grze wideo, która nazywa się Zakręcony
Czarownik.

Manny przeglądał dziś katalog świąteczny i wielkim
czerwonym pisakiem zaznaczał wszystko, co chciał
dostać. To znaczy zaznaczał wszystkie zabawki
w katalogu, nawet takie naprawdę drogie, jak zdalnie
sterowany samochodzik i tym podobne.

Postanowiłem więc wkroczyć i dać mu dobrą radę, jak prawdziwy starszy brat.

Powiedziałem, że jeśli zaznaczy zbyt drogie rzeczy, to na święta dostanie ciuchy. Poradziłem, żeby wybrał tylko trzy albo cztery niezbyt drogie prezenty, bo w ten sposób dostanie to, czego naprawdę chce.

No, ale Manny oczywiście dalej zakreślał wszystko. Niech mu będzie, dostanie nauczkę.

Kiedy miałem siedem lat, najbardziej na świecie chciałem dostać Domek Marzeń dla Barbie.
I wcale NIE dlatego, że to dziewczyńska zabawka, chociaż tak mówił Rodrick. Uznałem po prostu, że zrobię z tego domku fantastyczny fort dla moich żołnierzyków.

Kiedy mama i tata zobaczyli wtedy moją listę, zaczęli się potwornie kłócić. Tata powiedział, że nie ma mowy, nie kupi mi domku dla lalek, ale mama uważała, że będzie „zdrowo", jeśli poeksperymentuję trochę z różnymi rodzajami zabawek.

Wierzcie lub nie, ale tym razem tata wygrał z mamą. Kazał mi napisać listę od nowa i wybrać zabawki, które bardziej „nadają się" dla chłopców.

Na szczęście mam tajną broń świąteczną. Wujek Charlie zawsze kupuje mi to, o co proszę. Powiedziałem mu, że chcę Domek Marzeń dla Barbie, a on obiecał, że mam to jak w banku.

Kiedy przyszły święta i wujek Charlie dał mi mój prezent, to wcale NIE był domek. Wujek pewnie wszedł do sklepu i wziął pierwsze lepsze pudełko z napisem „Barbie".

Więc jeśli zobaczycie kiedyś zdjęcie, na którym trzymam Plażową Barbie, będziecie wiedzieli dlaczego.

Tata nie był zachwycony, kiedy zobaczył prezent od wujka. Kazał mi tę lalkę wyrzucić albo oddać biednym.

A ja i tak ją zatrzymałem. No dobra, przyznaję, z raz czy dwa wyjąłem ją nawet z pudełka i pobawiłem się trochę. Właśnie dlatego dwa tygodnie później wylądowałem na pogotowiu z różowym bucikiem Barbie w nosie. I, daję wam słowo, Rodrick nigdy nie pozwolił mi o TYM zapomnieć.

Czwartek

Dziś wieczorem mama i ja pojechaliśmy kupić prezent, który położymy pod Hojnym Drzewem w kościele.

Hojne Drzewo to po prostu taki sposób na dawanie prezentów potrzebującym.

Naszemu biednemu mama kupiła czerwony wełniany sweter. Próbowałem ją przekonać, żeby kupiła mu coś fajniejszego, na przykład telewizor albo maszynkę do waty cukrowej czy coś takiego.

No bo wyobraźcie sobie, że pod choinkę dostajecie
tylko wełniany sweter.

Jestem pewien, że nasz gość od Hojnego Drzewa
wyrzuci sweter do śmieci, razem z dziesięcioma
puszkami słodkich ziemniaków, które dostał od nas
na Święto Dziękczynienia.

Boże Narodzenie

Kiedy obudziłem się dziś rano i poszedłem na dół,
pod choinką było już z milion prezentów. Ale kiedy
zacząłem w nich buszować, okazało się, że na prawie
żadnym nie ma mojego imienia.

Za to Manny nieźle się obłowił. Dostał KAŻDĄ rzecz,
którą zaznaczył w katalogu. Serio. Pewnie się cieszy,
że mnie nie posłuchał.

Znalazłem to i owo dla mnie, ale były to głównie
książki, skarpetki i takie tam. Rozpakowałem swoje
prezenty w kącie za kanapą, ponieważ nie cierpię tego
robić w pobliżu taty. Kiedy tylko ktoś odpakowuje
prezent, tata natychmiast rzuca się do sprzątania
papierów.

STRZEP

Dałem Manny'emu helikopter zabawkę, a Rodrickowi -
książkę o zespołach rockowych. Rodrick też dał mi
książkę, ale oczywiście jej nie opakował. Był to
„Słodki urwis", najgorszy komiks drukowany
w gazecie. Rodrick doskonale wie, że go nie znoszę.
Chyba już czwarty rok z rzędu dostaję od Rodricka
„Słodkiego urwisa".

Dałem też prezenty mamie i tacie. Co roku daję im
coś w tym samym stylu, ale rodzice uwielbiają takie
badziewie.

Reszta rodziny zaczęła się schodzić koło jedenastej, a wujek Charlie przyszedł w samo południe.

Przyniósł wielką torbę na śmieci pełną prezentów i z samego wierzchu wyciągnął prezent dla mnie. Opakowanie było dokładnie tego rozmiaru i kształtu co pudełko z grą Zakręcony Czarownik, więc wiedziałem już, że wujek Charlie mnie nie zawiódł. Mama przygotowała aparat fotograficzny, a ja rozerwałem papier pakunkowy.

Ale w środku było tylko zdjęcie wujka Charliego
w formacie 20 na 30 centymetrów.

Chyba nie za dobrze ukryłem swoje rozczarowanie,
no i mama dostała szału. Powiem tylko tyle: cieszę się,
że ciągle jestem dzieckiem, bo gdybym miał okazywać
radość z takich prezentów, jakie dostają dorośli,
to na pewno dałbym plamę.

Poszedłem do siebie, żeby mieć chwilę spokoju.
Po kilku minutach do drzwi zapukał tata. Powiedział,
że ma dla mnie prezent w garażu, a trzymał go tam
dlatego, że prezent jest za duży, żeby go opakować.

A kiedy zszedłem do garażu, zobaczyłem nowiusieńką
ławkę do wyciskania.

Ten sprzęt musiał kosztować fortunę. Nie miałem serca, żeby powiedzieć tacie, że właściwie nie rusza mnie już to całe podnoszenie ciężarów, bo w zeszłym tygodniu skończyły się treningi zapaśnicze. No więc powiedziałem tylko: „Dzięki".

Tata spodziewał się chyba, że z miejsca padnę na tę ławkę i zacznę ćwiczyć czy coś w tym stylu, ale ja przeprosiłem go i wróciłem do środka.

Rodzina zmyła się około osiemnastej.

Siedziałem na kanapie, patrząc, jak Manny bawi się swoimi zabawkami, i użalałem się nad sobą. Wtedy przyszła mama i powiedziała, że za pianinem znalazła prezent dla mnie od Świętego Mikołaja.

Opakowanie było zdecydowanie za duże jak na Zakręconego Czarownika, ale rok temu mama wycięła mi już ten numer z wielkim pudłem, kiedy dostałem od niej kartę pamięci do mojej konsoli wideo.

No więc rozdarłem opakowanie i wyjąłem prezent. Ale to też nie był Zakręcony Czarownik. To był wielki, czerwony, wełniany sweter.

Na początku pomyślałem, że mama się wygłupia, bo taki sam sweter kupiła dla naszego gościa od Hojnego Drzewa.

Ale mama sama wyglądała na zaskoczoną. Powiedziała, że KUPIŁA mi tę grę wideo i że nie ma pojęcia, skąd wziął się w pudełku sweter. No i wtedy zrozumiałem, co się stało. Powiedziałem mamie, że na pewno coś się pokiełbasiło, no i ja dostałem prezent faceta od Drzewa, a on – mój.

Mama przyznała, że oba nasze prezenty opakowała w ten sam papier, więc pewnie pomyliła imiona na karteczkach. Niestety, dodała od razu, że świetnie się złożyło, bo facet od Drzewa na pewno ucieszył się z takiego fantastycznego prezentu.

Musiałem jej wyjaśnić, że do Zakręconego
Czarownika potrzebna jest konsola i telewizor,
więc sama gra kompletnie się temu gościowi
nie przyda.

Moje święta może i nie były zbyt udane, ale święta
gościa od Drzewa na sto procent okazały się gorsze.

W każdym razie postanowiłem poddać się w kwestii
tych świąt i poszedłem do Rowleya.

Zapomniałem kupić mu prezent, więc po prostu obwiązałem wstążką „Słodkiego urwisa", którego dostałem od Rodricka.

I udało się.

Rodzice Rowleya mają kupę pieniędzy, więc zawsze mogę u nich liczyć na fajny prezent, ale Rowley powiedział, że w tym roku sam wybrał prezent dla mnie. Po czym wyprowadził mnie przed dom, żeby mi ten prezent pokazać. Tak się podniecał swoim prezentem, że zacząłem się spodziewać wielkiego telewizora albo motocykla, czy czegoś w tym stylu.

No i po raz kolejny przeliczyłem się.

Rowley dał mi trójkołowy rower. Pewnie w trzeciej klasie uznałbym to za czadowy prezent, ale teraz nie mam pojęcia, co z tym zrobić.

Rowley był tym strasznie przejęty, więc zrobiłem, co mogłem, żeby udać zachwyt.

RANY, WIELKIE DZIĘKI!

Wróciliśmy do środka i Rowley pokazał mi wszystko, co dostał.

Oczywiście dostał dużo więcej niż ja, nawet Zakręconego Czarownika, więc przynajmniej pogram sobie, jak go odwiedzę. Oczywiście jeśli ojciec Rowleya nie dowie się, ile w tej grze jest przemocy.

Jasny gwint, w życiu nie widziałem, żeby ktoś tak się ucieszył z prezentu, jak Rowley z komiksu o Słodkim Urwisie! Jego mama powiedziała, że z całej swojej listy tego jednego prezentu nie dostał.

No cóż, cieszę się, że KTOŚ dostał dziś to, o co prosił.

Sylwester

Pewnie zastanawiacie się, co robię w swoim pokoju
o dziewiątej wieczorem w sylwestra. Już wam mówię.

Dziś po południu Manny i ja buszowaliśmy w piwnicy.
Znalazłem na dywanie maleńki kłębek czarnej nitki
i powiedziałem Manny'emu, że to pająk. Potem
przytrzymałem nad młodym tę nitkę, udając, że chcę
go nią nakarmić.

Kiedy już miałem go puścić, Manny uderzył mnie
w rękę i upuściłem nitkę. I wiecie co? Ten mały głupek
ją połknął.

No i Manny'emu kompletnie odbiło. Poleciał na górę do mamy, a ja wiedziałem już, że mam przechlapane.

Manny powiedział mamie, że kazałem mu zjeść pająka. Wytłumaczyłem, że to wcale nie był pająk, tylko mały kłębek nitki.

Mama usadziła Manny'ego przy stole kuchennym, położyła na talerzu nasionko, rodzynkę oraz winogrono i powiedziała młodemu, żeby pokazał jej, która z tych rzeczy jest tej samej wielkości, co kłębek nitki, który połknął.

Manny przyglądał się temu wszystkiemu przez długą chwilę.

Potem podszedł do lodówki i wyjął pomarańczę.

I właśnie dlatego odesłano mnie do pokoju o dziewiętnastej i nie siedzę na dole, oglądając specjalny program sylwestrowy w telewizji.

Również dlatego mam specjalne postanowienie noworoczne: już nigdy nie będę bawił się z Mannym.

<u>Środa</u>

Wpadłem na pomysł, co zrobić z trójkołowym rowerem, który dostałem od Rowleya. Wymyśliłem taką fajną grę: jeden z nas zjeżdża z górki, a drugi stara się go zrzucić, rzucając piłką.

Rowley pojechał jako pierwszy, a ja miałem rzucać.

Trafić ruchomy cel jest znacznie trudniej, niż myślałem. A w dodatku nie miałem czasu na próby. Wejście z rowerem na górkę po każdym zjeździe zabierało Rowleyowi z dziesięć minut.

Rowley ciągle chciał się ze mną zamienić, tak żebym to ja zjeżdżał na rowerze, ale nie jestem głupi. Ten rower zasuwa ponad czterdzieści kilometrów na godzinę i nie ma hamulców.

Dziś nie udało mi się zrzucić Rowleya z roweru. No cóż, będę miał nad czym pracować przez resztę przerwy świątecznej.

Czwartek

Chciałem dziś pójść do Rowleya, żeby znowu zabawić się w naszą grę z rowerem, ale mama kazała mi najpierw skończyć pisanie kartek z podziękowaniami za prezenty świąteczne. Myślałem, że uwinę się z tym w pół godziny, jednak kiedy zabrałem się do pisania, poczułem pustkę w głowie.

Wiecie co? Nie jest tak łatwo pisać podziękowania za prezenty, których wcale nie chciało się dostać. Zacząłem od nieciuchów, bo sądziłem, że tak będzie najprościej.

Jednak po trzech kartkach zauważyłem, że ciągle piszę to samo.

No więc wypisałem na komputerze uniwersalny formularz z pustymi miejscami na to, co za każdym razem trzeba było zmienić.

Od tego momentu pisanie było już łatwizną.

Kochana **ciociu Lidio**!

Bardzo dziękuję za tę niesamowitą **encyklopedię**!

Skąd wiedziałaś, że właśnie to chciałem dostać na święta?

Ta **encyklopedia** naprawdę świetnie wygląda na **mojej**

półce!

Wszyscy przyjaciele będą mi zazdrościć mojej własnej

encyklopedii!

Dzięki Tobie to były najwspanialsze święta – dziękuję!

Twój **Greg**

Przez jakiś czas system działał świetnie, ale po chwili

było już gorzej.

Kochana **wujku Johnie**!

Bardzo dziękuję za tę niesamowitą **sweter**!

Skąd wiedziałaś, że właśnie to chciałem dostać na święta?

Ta **sweter** naprawdę świetnie wygląda na **mnie**!

Wszyscy przyjaciele będą mi zazdrościć mojej własnej

sweter!

Dzięki Tobie to były najwspanialsze święta – dziękuję!

Twój **Greg**

<u>Piątek</u>

Dziś wreszcie udało mi się zrzucić Rowleya z roweru,
ale było trochę inaczej, niż sobie wyobrażałem.
Chciałem trafić go w ramię i chybiłem, a piłka wtoczyła
się pod przednie koło.

Rowley chciał złagodzić upadek, więc wyciągnął ręce,
no i wylądował dość ciężko na lewej dłoni. Wydawało
mi się, że jakoś się pozbiera i wsiądzie z powrotem na
rower, ale nie wsiadł.

Chciałem go pocieszyć, jednak żarty, z których
zwykle śmieje się do łez, jakoś nie działały.

No i wiedziałem już, że nieźle się potrzaskał.

<u>Poniedziałek</u>

Przerwa świąteczna się skończyła i wróciliśmy do szkoły. Pamiętacie wypadek Rowleya na trójkołowym rowerze? No więc Rowley złamał rękę i teraz chodzi w gipsie. A dziś wszyscy zebrali się wokół niego, jakby był jakimś bohaterem.

Chciałem załapać się częściowo na popularność Rowleya, ale źle się to skończyło.

Podczas lunchu kilka dziewczyn zaprosiło Rowleya do swojego stolika, żeby go KARMIĆ.

Najbardziej wkurza mnie to, że Rowley jest praworęczny, a złamał LEWĄ rękę, więc może spokojnie jeść sam.

<u>Wtorek</u>

Doszedłem do wniosku, że ten cały uraz Rowleya
wywołał niezły raban, więc postanowiłem sam też sobie
jakiś sprawić.

Wziąłem z domu trochę gazy i owinąłem rękę, żeby
wyglądała na zranioną.

MAM KOSZMARNE ZAKAŻENIE, BO WBIŁEM SOBIE DRZAZGĘ W RĘKĘ I NIKT SIĘ TYM NIE ZAJĄŁ!

Nie bardzo wiedziałem, dlaczego dziewczyny nie
zlatywały się do mnie tak jak do Rowleya, ale w końcu
zrozumiałem, w czym problem.

Widzicie, gips jest naprawdę czadowy, bo można
się na nim podpisać. A niełatwo jest pisać piórem
na gazie.

Wymyśliłem więc rozwiązanie, które wydawało mi się równie dobre.

Ten pomysł też był do bani. Mój bandaż wywołał w końcu zainteresowanie kilku osób, ale wierzcie mi, nie były to osoby, o których zainteresowanie mi chodziło.

<u>Poniedziałek</u>

W zeszłym tygodniu zaczął się drugi semestr roku

szkolnego, więc teraz mam masę nowych lekcji. Jeden

z przedmiotów, na które się zapisałem, to nauka

samodzielna.

Tak naprawdę, to CHCIAŁEM zapisać się na drugi

poziom zajęć praktycznych, bo dobrze mi szło na

pierwszym poziomie. Tyle że jak człowiek jest dobry

w szyciu, to niekoniecznie zyskuje popularność

w szkole.

Nauka samodzielna to taki eksperyment, na który

szkoła zdecydowała się po raz pierwszy. Chodzi o to,

że klasa dostaje projekt i trzeba przez całą lekcję

pracować nad nim wspólnie, bez nadzoru nauczyciela.

Problem w tym, że kiedy już się skończy, wszyscy w grupie dostają tę samą ocenę. Dowiedziałem się, że w mojej grupie jest Ricky Fisher, a to może oznaczać duży problem.

Ricky szczyci się tym, że jeśli dostanie pięćdziesiąt centów, to zdrapie gumę spod biurka i będzie ją żuł. I dlatego nie liczę na wysoką ocenę dla naszej grupy.

Wtorek

Dziś dostaliśmy nasz projekt z nauki samodzielnej i wiecie co? Mamy zbudować robota.

Na początku wszyscy mieli cykora, bo myśleliśmy, że trzeba będzie zbudować robota od podstaw.

150

Na szczęście pan Darnell powiedział, że to nie musi być prawdziwy robot. Mamy tylko wymyślić, jak ten robot mógłby wyglądać i co miałby robić.

Potem wyszedł z klasy i zostaliśmy sami. Od razu zaczęliśmy burzę mózgów. Ja zapisałem na tablicy mnóstwo pomysłów.

robot będzie
robił za mnie zadania
mył naczynia
robił mi śniadanie
mył mi zęby

Wszyscy byli pod wrażeniem, ale dla mnie to była łatwizna. Po prostu spisałem to wszystko, czego nie znoszę robić.

Wtedy kilka dziewczyn podeszło do tablicy. Starły moje pomysły i spisały własny plan. Chciały stworzyć robota, który będzie dawał im rady na temat randek i miał przy sobie dziesięć rodzajów błyszczyka do ust.

My, chłopaki, wszyscy uważaliśmy, że to najdurniejszy pomysł na świecie, więc grupa podzieliła się na dwie mniejsze grupki: dziewczyny i chłopaków. Chłopaki poszły na drugi koniec sali, a dziewczyny stały razem i gadały.

Teraz, kiedy wszyscy prawdziwi wynalazcy znaleźli się w jednym miejscu, zabraliśmy się do pracy. Ktoś wymyślił, że jak się powie robotowi swoje imię, to on je powtórzy.

Wtedy ktoś inny zwrócił uwagę, że nie wolno podawać robotowi brzydkich wyrazów zamiast imienia, bo robot nie może przeklinać. No więc postanowiliśmy stworzyć listę brzydkich słów, których robot nie będzie mógł wymawiać.

Spisaliśmy wszystkie zwykłe przekleństwa, ale wtedy Ricky Fisher podał ze dwadzieścia nowych, których nikt z nas nigdy nawet nie słyszał.

I tak okazało się, że Ricky miał największy wkład w nasz projekt.

Zaraz przed dzwonkiem do klasy wrócił pan Darnell, żeby sprawdzić nasze postępy. Zabrał kartkę, na której pisaliśmy, i przeczytał nasze pomysły.

Powiem krótko: zajęcia z nauki samodzielnej zostały odwołane do końca roku.

To znaczy, zostały odwołane dla chłopaków. Zatem jeśli w przyszłości powstaną roboty, które zamiast palców będą miały różowe szminki, będziecie wiedzieć, jak to się zaczęło.

Czwartek

Dziś w szkole mieliśmy zebranie wszystkich uczniów i obejrzeliśmy film pod tytułem „Lubię być sobą", który pokazują nam co rok.

Film jest o tym, że każdy powinien się cieszyć z tego, jaki jest, i niczego w sobie nie zmieniać.

Szczerze mówiąc, moim zdaniem to naprawdę głupie przesłanie dla dzieciaków, szczególnie dla tych typków z mojej szkoły.

Po filmie ogłoszono, że rozpoczyna się nabór do Patroli Bezpieczeństwa i to dało mi do myślenia.

Jeśli ktoś zadziera z Patrolem Bezpieczeństwa, to zostaje zawieszony. A moim zdaniem przyda się wszelka możliwa ochrona.

Poza tym doszedłem do wniosku, że takie stanowisko i władza dobrze mi zrobią.

Poszedłem do gabinetu pana Winsky'ego i zapisałem
siebie oraz Rowleya. Myślałem, że pan Winsky każe
nam zrobić kilka brzuszków albo pajacyków czy
coś w tym stylu, żeby udowodnić, czy nadajemy się
do roboty, ale on po prostu z miejsca dał nam pasy
i odznaki.

Pan Winsky powiedział, że to nabór do zadania specjalnego. Nasza szkoła jest zaraz koło szkoły podstawowej, a tam mieści się półprzedszkole. Pan Winsky chce, żebyśmy w południe odprowadzali do domu dzieciaki z porannej zmiany. Zorientowałem się, że dzięki temu będziemy opuszczać dwadzieścia minut wstępu do algebry. Rowley też się chyba zorientował, bo zaczął mówić na ten temat. Uszczypnąłem go jednak bardzo mocno pod biurkiem i nie dałem dokończyć zdania.

Nie wierzyłem własnemu szczęściu. Będę miał natychmiastową ochronę przed chuliganami i zwolnienie z połowy wstępu do algebry, a wszystko praktycznie bez wysiłku.

<u>Wtorek</u>

Dzisiaj był nasz pierwszy dzień w Patrolu
Bezpieczeństwa. Ja i Rowley nie mamy oficjalnych
stanowisk tak jak inne Patrole, więc nie musimy
wystawać przed szkołą przez godzinę i zamarzać
tam na kość. Co nie znaczy, że nie przychodzimy do
stołówki po darmową gorącą czekoladę, którą wszyscy
członkowie Patroli dostają przed lekcjami.

STUK

Inną wielką korzyścią jest to, że możemy spóźniać się
dziesięć minut na pierwszą lekcję.

DZIEŃ
DOBRY!

Mówię wam, nieźle się ustawiłem z tym Patrolem Bezpieczeństwa.

O dwunastej pietnaście Rowley i ja wyszliśmy ze szkoły, żeby odprowadzić przedszkolaki do domu. Cała wycieczka zajęła nam czterdzieści minut i kiedy wróciliśmy, zostało nam tylko dwadzieścia minut wstępu do algebry.

Odprowadzanie dzieciaków do domu to łatwizna, ale jeden ze smarkaczy zaczął trochę śmierdzieć i chyba miał jakiś mały wypadek w gaciach.

Próbował mi o tym powiedzieć, ale ja patrzyłem prosto przed siebie i szedłem jakby nigdy nic. Mogę odprowadzać dzieci do domu, ale na pewno nie pisałem się na dyżury w zmienianiu pieluch.

CIĄG
CIĄG

Środa

Dzisiaj spadł pierwszy tej zimy śnieg i lekcje zostały odwołane. Mieliśmy mieć test ze wstępu do algebry, a ja nie za bardzo się do niego przygotowałem z powodu tych Patroli. No i miałem strasznego pietra.

Zadzwoniłem do Rowleya i powiedziałem mu, żeby przyszedł. Już od kilku lat planujemy zbudowanie największego bałwana na świecie.

Z tym największym bałwanem to na serio. Mamy zamiar dostać się do „Księgi rekordów Guinnessa".

PSTRYK

Ale za każdym razem, kiedy zabieraliśmy się do bicia tego rekordu, śnieg topniał i traciliśmy szansę. Tak więc w tym roku od razu chciałem zabrać się do roboty.

Kiedy przyszedł Rowley, zaczęliśmy lepić pierwszą kulę na podstawę bałwana. Obliczyłem, że jeśli chcemy pobić rekord, to podstawa musi mieć przynajmniej ze dwa i pół metra wysokości. Tylko że ta kula była naprawdę ciężka i musieliśmy robić co chwila przerwę w toczeniu, żeby złapać oddech.

Podczas jednej z tych przerw moja mama wyszła na zakupy, a nasza kula blokowała jej samochód. W ten sposób mama wykonała za nas trochę pracy.

Po przerwie ja i Rowley toczyliśmy kulę, aż nie dało się jej już ruszyć. Jednak kiedy spojrzeliśmy za siebie, okazało się, że zrobiliśmy niezły bałagan.

Kula była tak ciężka, że zdarła całą darń, którą tata położył jesienią.

Miałem nadzieję, że spadnie jeszcze parę centymetrów śniegu, zasypując nasze ślady, ale właśnie wtedy śnieg przestał sypać.

Nasz plan zbudowania największego bałwana na świecie zaczął walić się w gruzy. Wpadłem więc na lepszy pomysł, jak wykorzystać kulę.

Kiedy tylko sypie śnieg, dzieciaki z Whirley Street chodzą na sanki na nasz pagórek, chociaż to nie ich okolica.

Zatem jutro rano, kiedy tu przyjdą, ja i Rowley damy im nauczkę.

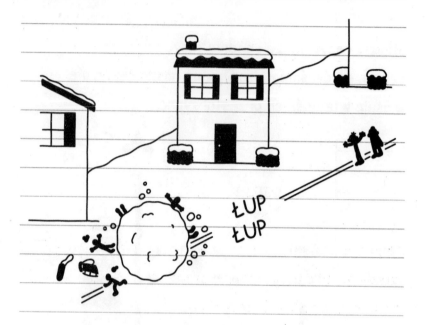

Czwartek

Kiedy obudziłem się dziś rano, śnieg zaczynał już topnieć. Powiedziałem więc Rowleyowi, żeby jak najszybciej do mnie przyszedł.

Czekając na Rowleya, patrzyłem, jak Manny próbuje ulepić bałwana z resztek śniegu, które zostały po utoczeniu naszej kuli.

Wyglądało to dość żałośnie.

Naprawdę nie mogłem się powstrzymać od tego, co wtedy zrobiłem. Na moje nieszczęście właśnie w tym momencie do okna podszedł tata.

JUŻ był na mnie wściekły za to, że zerwałem darń, więc wiedziałem, że mam przechlapane. Usłyszałem, jak otwierają się drzwi do garażu, i zobaczyłem, że wychodzi stamtąd tata. Pojawił się z łopatą w ręce i pomyślałem, że trzeba będzie wiać.

Na szczęście tata mierzył w kulę, a nie we mnie. Po niecałej minucie zrównał całe moje dzieło z ziemią.

Chwilę później przyszedł Rowley. Prawdę mówiąc, sądziłem, że nieźle się z tego uśmieje.

Jednak on chyba strasznie cieszył się na myśl o toczeniu kuli z pagórka i dostał szału. I wyobraźcie sobie, że był wściekły na MNIE za to, co zrobił mój TATA.

Powiedziałem Rowleyowi, że zachowuje się jak dziecko, i zaczęliśmy się przepychać. Zapowiadało się na porządną bójkę, kiedy nagle zostaliśmy zaatakowani od strony ulicy.

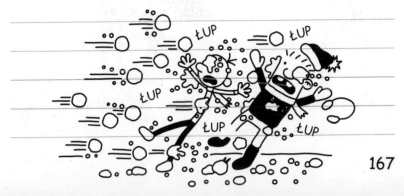

Był to lotny napad dzieciaków z Whirley Street.

Pan Levine, mój nauczyciel angielskiego, na pewno powiedziałby, że mamy tu do czynienia z przykładem „ironii losu".

Środa

Dziś w szkole ogłoszono konkurs na rysownika komiksów do szkolnej gazetki. W gazetce jest miejsce tylko na jedną historyjkę obrazkową i do tej pory okupował je niejaki Bryan Little.

Bryan stworzył komiks pod tytułem „Pśak Świr", który na początku był nawet całkiem zabawny.

Ale ostatnio Bryan zaczął wykorzystywać komiks do załatwiania własnych spraw. Pewnie dlatego wylali go z gazety.

Kiedy tylko usłyszałem o konkursie, wiedziałem, że muszę spróbować. „Pśak Świr" zrobił z Bryana prawdziwą gwiazdę. Ja też chciałem załapać się na taką sławę.

Dobrze wiem, jakie to uczucie być sławnym w szkole, bo kiedyś dostałem wyróżnienie w konkursie na plakat antynikotynowy.

Skopiowałem po prostu zdjęcie z czasopisma heavymetalowego mojego brata, Rodricka, ale na szczęście nikt się nigdy nie zorientował.

Wygrał dzieciak, który nazywa się Chris Carney. A najbardziej wkurza mnie to, że Chris pali przynajmniej paczkę dziennie.

Czwartek

Ja i Rowley postanowiliśmy stworzyć zespół i razem robić ten komiks. Dlatego dziś po szkole poszliśmy do mnie i zabraliśmy się do pracy.

Piorunem wymyśliliśmy kilka postaci, ale to akurat było najłatwiejsze. Kiedy próbowaliśmy ułożyć dowcipy, utknęliśmy w miejscu.

Wreszcie przyszło mi do głowy dobre rozwiązanie.

Wymyśliłem komiks, w którym każda historyjka będzie się kończyć tekstem: „Jeny Julek!".

W ten sposób nie będziemy musieli zawracać sobie głowy wymyślaniem dowcipów i skoncentrujemy się na rysunkach.

Na początku ja pisałem dialogi i rysowałem postaci, a Rowley robił ramki do obrazków.

Rowley zaczął narzekać, że nie ma nic do roboty, więc pozwoliłem mu narysować kilka historyjek.

Problem w tym, że odkąd on zajął się pisaniem, jakość spadła na łeb na szyję.

W końcu znudził mi się ten pomysł z „Jeny Julek!" i pozwoliłem, żeby to Rowley zajął się całą operacją.

Możecie mi wierzyć lub nie, ale on rysuje jeszcze gorzej, niż pisze.

Powiedziałem Rowleyowi, że może powinien wymyślić coś nowego, ale on uparł się, żeby pisać „Jeny Julki!". Potem spakował swoje komiksy i poszedł do domu. I bardzo dobrze. Nie mam zamiaru pracować z gościem, który nie rysuje nosów.

<u>Piątek</u>

Po wczorajszym odejściu Rowleya muszę sam zabrać się do pracy nad komiksem. Wymyśliłem taką postać, Danielka Debilka, i idzie mi jak po maśle.

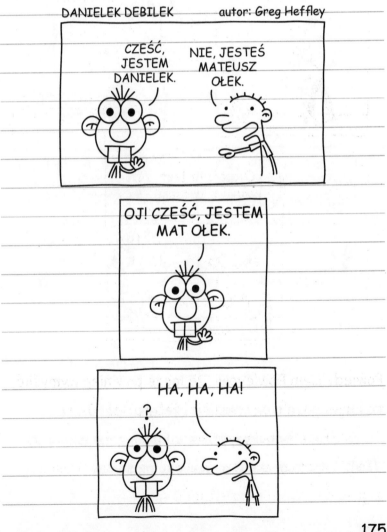

175

Machnąłem ze dwadzieścia historyjek i nawet się nie
zmęczyłem.

Najfajniejsze w komiksie o Danielku Debilku jest
to, że dzięki tym wszystkim idiotom z mojej szkoły
NIGDY nie zabraknie mi nowego materiału.

Dziś, po przyjściu do szkoły, zaniosłem swój komiks do gabinetu pana Iry. To on jest nauczycielem opiekującym się szkolną gazetką.

Niestety, w jego gabinecie zobaczyłem cały stos komiksów innych dzieciaków, które też brały udział w konkursie.

Większość z nich była do kitu, więc nie bałem się konkurencji.

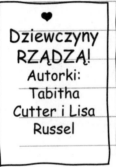

Jeden komiks nosił tytuł „Głupi belfrzy", a napisał go Bill Tritt.

Bill zawsze zostaje w kozie, więc chyba ma na pieńku ze wszystkimi nauczycielami w szkole.

Z panem Irą też. Dlatego nie zamartwiam się konkurencją z Billem w konkursie.

Były tam ze dwa przyzwoite komiksy, ale schowałem je pod stertą papierów na biurku pana Iry.

Jak dobrze pójdzie, to nie znajdzie ich, dopóki nie będę w liceum.

<u>Czwartek</u>

Dziś, w porannych ogłoszeniach, usłyszałem to, na co czekałem.

Gazetka wyszła w porze lunchu i wszyscy rzucili się do czytania.

Strasznie chciałem wziąć jeden egzemplarz i zobaczyć swoje nazwisko w druku, ale postanowiłem, że lepiej będzie, jeśli okażę więcej luzu.

Siedziałem na końcu stołu, żeby mieć mnóstwo miejsca na dawanie autografów nowym fanom. Tylko że jakoś nikt nie przychodził i nie mówił, jaki czadowy jest mój komiks. Zacząłem podejrzewać, że coś jest nie tak.

Chwyciłem gazetkę i poszedłem do łazienki, żeby sprawdzić, o co chodzi. No i mało nie dostałem zawału na widok komiksu.

Pan Ira powiedział mi, że dokonał w nim „niewielkich zmian". Myślałem, że chodzi mu o literówki i tym podobne, ale on normalnie zmasakrował ten komiks.

To była jedna z moich ulubionych historyjek. Danielek Debilek pisze w niej test z matmy i przez przypadek zjada kartkę. I wtedy nauczyciel wrzeszczy na niego i wyzywa go od cymbałów.

Po przeróbkach pana Iry całość była praktycznie nie do poznania.

Danielek − dociekliwy uczeń   autor: Greg Heffley

Dziękuję. Dzieciaki, jeśli chcecie dowiedzieć się czegoś więcej na temat matematyki, koniecznie odwiedźcie gabinet pana Humphreya podczas jego dyżuru albo wpadnijcie do biblioteki, do naszej sekcji matematyki i nauk ścisłych, właśnie uzupełnionej o nowe książki!

Raczej nie zapowiada się, że będę w najbliższym czasie rozdawał autografy.

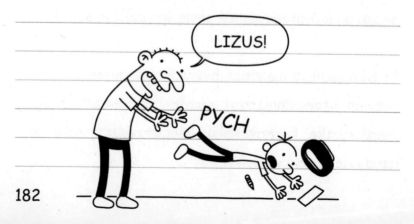

<u>Środa</u>

Dziś rano w stołówce ja i Rowley popijaliśmy gorącą
czekoladę z innymi patrolującymi, kiedy nagle
z głośników poszło ogłoszenie:

Rowley poszedł do gabinetu pana Winsky'ego, a kiedy
wrócił po kwadransie, trząsł się jak galareta.

Podobno pan Winsky dostał telefon od jakiegoś
rodzica, który doniósł, że widział, jak Rowley
„terroryzuje" przedszkolaki podczas odprowadzania
ich do domu. No i pan Winsky dostał szału.

Pan Winsky wrzeszczał na Rowleya przez dziesięć minut i powiedział, że „takie zachowanie przynosi ujmę odznace".

Wiecie co? Chyba kumam, o co chodzi. W zeszłym tygodniu Rowley miał klasówkę na czwartej lekcji, więc ja sam odprowadzałem dzieciaki do domu. Tego dnia rano spadł deszcz i na chodniku było mnóstwo robaków. No i postanowiłem zabawić się ze smarkaczami.

Tylko że jakaś kobieta, która tam mieszka, zobaczyła, co robię, i zaczęła się na mnie wydzierać ze swojej werandy.

Była to pani Irvine, która przyjaźni się z mamą Rowleya. Pewnie wzięła mnie za niego, bo miałem na sobie jego kurtkę. A ja nie zamierzałem wyprowadzać jej z błędu.

Kompletnie zapomniałem o tej historii.

Tak czy inaczej, pan Winsky kazał Rowleyowi przeprosić jutro rano te dzieciaki z przedszkola i na tydzień zawiesił go w obowiązkach patrolującego.

Czułem, że chyba powinienem po prostu powiedzieć panu Winsky'emu, że to ja goniłem dzieciaki z robalem. Ale jakoś nie byłem gotów, żeby wszystko wyjaśnić. Wiedziałem, że jeśli się przyznam, to stracę prawo do darmowej gorącej czekolady. I już samo to wystarczyło, żebym postanowił chwilowo trzymać język za zębami.

Dziś przy kolacji mama zauważyła, że coś mnie gnębi, więc przyszła później do mojego pokoju, żeby ze mną porozmawiać. Wyjaśniłem jej, że jestem w trudnej sytuacji i nie wiem, co robić. Muszę przyznać, że zachowała się świetnie. Nie była wścibska i nie dopytywała o szczegóły. Powiedziała tylko, że powinienem postarać się zrobić „to, co należy", ponieważ właśnie nasze wybory określają, kim jesteśmy.

To chyba całkiem niezła rada. A jednak ciągle nie mam stuprocentowej pewności, jak się jutro zachowam.

Czwartek

Przez całą noc przewracałem się z boku na bok przez tę całą historię z Rowleyem. W końcu podjąłem decyzję. Postanowiłem, że zrobię to, co należy, i pozwolę, by w tym jednym przypadku to Rowley się poświęcił.

Po drodze ze szkoły przyznałem się Rowleyowi do wszystkiego i powiedziałem mu całą prawdę o tym, co się stało, no i że to ja goniłem smarkaczy z robalem. Potem powiedziałem mu, że obaj możemy wyciągnąć wnioski z tej sytuacji.

Ja na przykład nauczyłem się, że muszę bardziej uważać na to, co robię w obecności pani Irvine, a on też zrozumiał coś ważnego, a mianowicie: uważaj, komu pożyczasz kurtkę.

Jeśli mam być szczery, to moje argumenty chyba nie trafiły do Rowleya.

Mieliśmy spędzić dziś razem popołudnie, ale on powiedział, że pójdzie do domu i się zdrzemnie. Nie mogłem mieć do niego pretensji. Gdybym nie wypił dziś rano gorącej czekolady, też brakowałoby mi energii.

Kiedy wróciłem do domu, mama już czekała na mnie przy drzwiach.

Mama zabrała mnie na lody, żeby to uczcić. Cała ta historia nauczyła mnie, że od czasu do czasu niegłupio jest posłuchać rad matki.

<u>Wtorek</u>

Dziś rano nadali przez głośnik kolejne ogłoszenie
i, prawdę mówiąc, nie było to dla mnie zaskoczenie.

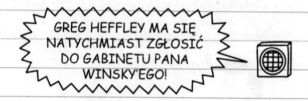

Wiedziałem, że to tylko kwestia czasu i że w końcu
oberwę za zeszły tydzień.

Kiedy przyszedłem do gabinetu, pan Winsky był
naprawdę wściekły. Powiedział, że „anonimowy
informator" doniósł mu, kto tak naprawdę był winny
zajścia z robalem.

Potem oświadczył, że „w trybie natychmiastowym"
zostaję usunięty z Patrolu Bezpieczeństwa.

Nie trzeba być detektywem, żeby się domyślić, że tym anonimowym informatorem był Rowley. Nie mogę uwierzyć, że wbił mi nóż w plecy. Kiedy tak siedziałem, słuchając reprymendy pana Winsky'ego, przyszło mi do głowy, że będę musiał powiedzieć mojemu kumplowi kilka słów na temat lojalności.

Tego samego dnia Rowley wrócił do Patrolu. A na dodatek dostał AWANS. Pan Winsky powiedział, że Rowley „wykazał się godnością w obliczu fałszywych oskarżeń".

Już chciałem na niego naskoczyć za to, że mnie wydał, kiedy nagle coś przyszło mi do głowy.

W czerwcu wszyscy oficerowie z Patrolu Bezpieczeństwa jadą na wycieczkę do parku rozrywki Six Flags i każdy z nich może zabrać z sobą przyjaciela. Muszę koniecznie przekonać Rowleya, żeby wybrał właśnie mnie.

Wtorek

Tak jak już mówiłem, najgorsze w byciu wykopanym z Patrolu Bezpieczeństwa jest to, że nie mam już prawa do darmowej gorącej czekolady.

Codziennie rano podchodzę do tylnych drzwi stołówki, żeby Rowley mógł wpuścić mnie do środka.

Ale mój przyjaciel ogłuchł albo jest zbyt zajęty podlizywaniem się innym oficerom, więc nie zauważa, że tam stoję.

Jak się nad tym zastanowić, to już od kilku dni Rowley KOMPLETNIE mnie olewa. A to jest parszywe zachowanie, bo przecież, jeśli dobrze pamiętam, to właśnie ON wydał MNIE.

Mimo że Rowley zachowuje się ostatnio jak ostatni palant, próbowałem dziś jakoś przełamać lody. Ale nawet TO nic nie dało.

KWIECIEŃ

<u>Piątek</u>

Od czasu historii z robakiem Rowley codziennie
po szkole spędza czas z Collinem Lee. Najbardziej
wkurza mnie to, że Collin Lee miał być MOIM
zapasowym kumplem.

Ci dwaj zachowują się zupełnie idiotycznie. Dziś mieli
na sobie identyczne koszulki, przez co zrobiło mi się
niedobrze.

Dzisiaj po obiedzie zobaczyłem ich razem. Wspinali
się na wzgórze, kumple pełną gębą.

Collin miał przy sobie torbę z rzeczami na noc, więc zorientowałem się, że będą spać u Rowleya.

Pomyślałem, że do tanga trzeba dwojga. Jeśli chcę odegrać się na Rowleyu, to muszę też znaleźć sobie nowego najlepszego przyjaciela. Tylko że, niestety, jedyną osobą, która przyszła mi do głowy, był Fregley.

Poszedłem do niego z moją torbą, żeby Rowley zobaczył, że ja też mam innego kumpla. Kiedy dotarłem na miejsce, Fregley siedział na podwórku i dźgał latawiec kijem. Wtedy przyszło mi do głowy, że może to nie był jednak najlepszy pomysł.

Ale Rowley siedział na własnym podwórku i mnie obserwował. Wiedziałem więc, że nie ma już odwrotu.

Wprosiłem się do domu Fregleya. Jego mama powiedziała, że bardzo się cieszy, widząc syna z nowym „towarzyszem zabaw". To określenie raczej mnie nie zachwyciło.

Fregley i ja poszliśmy na górę, do jego pokoju. Fregley chciał, żebym pobawił się z nim w Twistera, więc przez cały czas trzymałem się od niego na odległość co najmniej trzech metrów.

Postanowiłem skończyć z tym głupim pomysłem i iść do domu, ale za każdym razem kiedy wyglądałem przez okno, widziałem Rowleya i Collina na podwórku. Nie chciałem wychodzić, dopóki ci goście siedzieli na zewnątrz.

Jednak sprawy szybko zaczęły wymykać się spod mojej kontroli. Kiedy wyglądałem przez okno, Fregley otworzył mój plecak i zeżarł całą torebkę żelków, którą tam miałem.

Fregley jest jednym z tych dzieciaków, którym nie wolno jeść cukru, więc dwie minuty później chodził już po ścianach.

Zaczął się zachowywać jak kompletny świr i gonił mnie po całym piętrze.

Przez cały czas miałem nadzieję, że w końcu wybiega z siebie ten cały cukier, ale tak się nie stało. Koniec końców, zamknąłem się w łazience, żeby wziąć go na przeczekanie.

Około wpół do dwunastej na korytarzu wreszcie zrobiło się cicho. Wtedy Fregley wsunął pod drzwiami kawałek papieru.

Podniosłem liścik i przeczytałem go.

> # Drogi Gregory!
> Przepraszam, że goniłem cię z glutem na palcu. Przykleiłem go na tej kartce, żebyś mógł się na mnie odegrać.

Nie pamiętam już nic więcej. Zemdlałem.

Ocknąłem się kilka godzin później. Po przebudzeniu uchyliłem drzwi i usłyszałem chrapanie dochodzące z pokoju Fregleya. Postanowiłem więc dać nogę.

Rodzice nie byli zachwyceni, kiedy wyciągnąłem ich z łóżek o drugiej w nocy. Ale w tym momencie zupełnie mnie to nie obchodziło.

Poniedziałek

Rowley i ja jesteśmy oficjalnie ekskumplami już
od miesiąca i jeśli mam być szczery, to lepiej mi
bez niego.

Cieszę się, że mogę robić, co mi się żywnie podoba,
i nie muszę wlec za sobą tej kuli u nogi.

Ostatnio po szkole spędzam sporo czasu w pokoju
Rodricka i przeglądam jego rzeczy. Któregoś dnia
znalazłem księgę pamiątkową Rodricka z czasów
gimnazjum.

Rodrick napisał coś na każdym zdjęciu w albumie, więc
od razu było wiadomo, co myślał na temat wszystkich
dzieciaków ze swojej klasy.

Od czasu do czasu widuję na mieście kumpli Rodricka z klasy. Muszę też pamiętać, żeby mu podziękować za zapewnienie mi rozrywki w kościele.

Ale najbardziej interesującą rzeczą w albumie Rodricka była strona z Klasowymi Ulubieńcami.

Umieszczają tam zdjęcia dzieciaków, które dostały tytuł Najbardziej Popularnych albo Najbardziej Utalentowanych i tak dalej.

Na tej stronie Rodrick też zrobił uwagi.

NAJBARDZIEJ OBIECUJĄCY

Bill Watson   Kathy Nguyen

Wiecie co? Ta cała idea Klasowych Ulubieńców dała mi do myślenia.

Kiedy człowiekowi uda się znaleźć na stronie ulubieńców, to staje się praktycznie nieśmiertelny. Nawet jeśli nie dorośnie do swojego tytułu, nie ma to żadnego znaczenia, bo tytuł został już uwieczniony.

Ludzie nadal traktują Billa Watsona, jakby był kimś wyjątkowym, mimo że ostatecznie wyleciał z liceum.

Od czasu do czasu wpadamy na niego w delikatesach.

Myślę sobie tak: ten rok szkolny okazał się w sumie porażką, ale jeśli wybiorą mnie jednym z Klasowych Ulubieńców, końcówka roku będzie należała do mnie.

Zastanawiam się, w jakiej kategorii powinienem wystartować. Tytuły Najbardziej Popularnego albo Najlepszego Sportowca zdecydowanie odpadają, więc muszę wymyślić coś, na co mam jakąkolwiek szansę.

Najpierw pomyślałem, że do końca roku powinienem nosić fajne ciuchy, żeby dostać tytuł Najlepiej Ubranego.

Jednak to oznaczałoby, że zrobią mi zdjęcie z Jenną Stewart, a ona ubiera się jak pierwsi osadnicy.

Środa

Wczoraj w nocy, kiedy leżałem w łóżku, doznałem olśnienia: postanowiłem starać się o tytuł Klasowego Wesołka. W zasadzie nie jestem w szkole znany z dowcipów czy czegoś w tym stylu, ale jeśli wytnę jeden świetny numer pod koniec roku, tuż przed głosowaniem, powinienem mieć tytuł w kieszeni.

PINEZKA

MAJ

<u>Czwartek</u>

Dzisiaj podczas lekcji historii kombinowałem, jak podłożyć pinezkę na krzesło pana Wortha, kiedy nagle powiedział coś, co skłoniło mnie do zmiany planu.

Pan Worth powiedział nam, że jutro idzie do dentysty, więc będziemy mieli zastępstwo. Nauczyciele zastępczy to prawdziwa kopalnia żartów. Można przy nich powiedzieć właściwie wszystko i nic za to nie grozi.

205

Piątek

Dziś przed lekcją historii byłem gotowy do realizacji mojego planu. Jednak kiedy dotarłem do klasy, zgadnijcie, kto przyszedł na zastępstwo?

Na świecie jest tylu ludzi, a naszym zastępczym nauczycielem musiała być dzisiaj moja mama. Wydawało mi się, że jej działalność w szkole to już historia.

Mama była kiedyś jednym z tych rodziców, którzy pomagają w klasie. Wszystko jednak zmieniło się po wycieczce do ZOO w trzeciej klasie.

Mama zgłosiła się wtedy do opieki nad nami.
Przygotowała masę materiałów, dzięki którym
mieliśmy docenić różne atrakcje, ale wszyscy chcieli
tylko oglądać, jak zwierzęta się załatwiają.

Tak czy inaczej, mama kompletnie pokrzyżowała
moje plany zdobycia tytułu Klasowego Wesołka. I tak
mam szczęście, że nie ma kategorii Największego
Maminsynka, bo po dzisiejszym zastępstwie ten tytuł
wygrałbym w cuglach.

<u>Środa</u>

Dziś wyszedł kolejny numer szkolnej gazetki. Po opublikowaniu „Danielka – dociekliwego ucznia" rzuciłem pracę rysownika, więc zupełnie mnie nie obchodziło, kogo wybiorą na moje miejsce.

Jednak podczas lunchu wszyscy zaśmiewali się nad stroną z komiksem, więc wziąłem jeden egzemplarz, żeby sprawdzić, co ich tak bawi. A kiedy otworzyłem gazetkę, nie mogłem uwierzyć własnym oczom.

Był tam komiks „Jeny Julek!". No i oczywiście pan Ira nie zmienił ani SŁOWA w historyjce Rowleya.

Jeny Julek!   autor: Rowley Jefferson

No i teraz Rowley zgarnia całą sławę, która należy
się mnie.

Nawet nauczyciele podlizywali się Rowleyowi. O mało
nie zwróciłem lunchu, kiedy pan Worth upuścił dzisiaj
kredę podczas lekcji historii.

<u>Poniedziałek</u>

Cała ta sprawa z „Jeny Julkiem!" naprawdę wyprowadziła mnie z równowagi. Rowley sam zbiera pochwały za komiks, który wymyśliliśmy razem. Uważam, że mógł przynajmniej umieścić tam moje nazwisko jako współautora.

I dlatego podszedłem po lekcjach do Rowleya i powiedziałem mu, że ma to zrobić. A on mi mówi, że „Jeny Julek!" to wyłącznie JEGO pomysł i że ja nie miałem z tym nic wspólnego.

Chyba rozmawialiśmy dość głośno, bo już po chwili otaczał nas tłum.

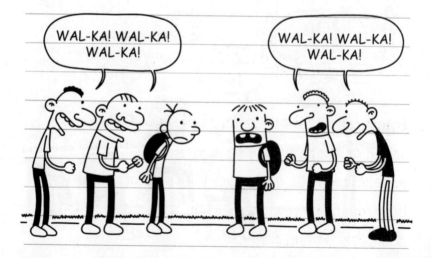

210

Dzieciaki z naszej szkoły ZAWSZE aż się palą, żeby zobaczyć walkę. Ja i Rowley chcieliśmy pójść, ale tamci nie mieli zamiaru nam na to pozwolić, dopóki nie damy sobie po razie.

Nigdy wcześniej nie brałem udziału w prawdziwej bójce, więc nie miałem pojęcia, jak powinienem stać albo trzymać pięści i w ogóle. No i widać było, że Rowley też nie wie, co robić, bo zaczął skakać dookoła jak poparzony.

Byłem raczej pewny, że mogę pokonać Rowleya, ale jeden drobiazg trochę mnie stresował: Rowley chodzi na lekcje karate. Nie wiem, jakich sztuczek go tam uczą, ale na pewno nie chciałem, żeby rozłożył mnie na łopatki na tym asfalcie.

Zanim któryś z nas ruszył z miejsca, usłyszeliśmy wrzaski od strony szkolnego parkingu. Grupka nastolatków zatrzymała tam swoją furgonetkę i teraz wszyscy wyładowywali się na zewnątrz.

I właśnie wtedy zdałem sobie sprawę, że te nastolatki wyglądają koszmarnie znajomo.

No i olśniło mnie. Były to te same wyrostki, które goniły mnie i Rowleya w Halloween. W końcu nas dorwały.

Nie zdążyliśmy uciec, bo ci goście wykręcili nam ręce do tyłu.

Chcieli dać nam nauczkę za to, że drażniliśmy się
z nimi wtedy w Halloween. Teraz zaczęli się kłócić,
co powinni z nami zrobić.

Ale jeśli mam być z wami szczery, to bardziej
przejmowałem się czymś innym. Ser leżał na asfalcie
zaledwie metr od miejsca, w którym staliśmy,
i wyglądał ohydniej niż kiedykolwiek wcześniej.

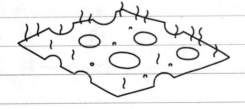

Jeden wielki koleś popatrzył pewnie w tym samym kierunku, bo też zaczął przyglądać się Serowi. I to chyba podsunęło mu pomysł, którego szukał.

Na początek wybrali Rowleya. Ten wielkolud chwycił go i pociągnął w stronę Sera.

Nie chcę mówić, co stało się potem, bo jeżeli Rowley wystartuje kiedyś w wyborach prezydenckich, a ktoś dowie się, co zrobili mu ci goście, to nie będzie miał żadnych szans.

Dlatego powiem tak: kazali Rowleyowi _ _ _ _ _ _ Ser.

Wiedziałem, że mnie każą zrobić to samo. Wpadłem
w panikę, bo nie miałem szans, żeby wyrwać się jakoś
z tej sytuacji.

Zmobilizowałem się więc do szybkiego myślenia.

Wierzcie lub nie, ale to zadziałało.

Tym kolesiom to chyba wystarczyło, bo jak tylko
wmusili w Rowleya resztę Sera, dali nam spokój.
Wsiedli do swojej furgonetki i ruszyli
w drogę.

Ja i Rowley wróciliśmy do domu razem, ale żaden
z nas nie wykrztusił z siebie ani słowa.

Zastanawiałem się, czy nie powiedzieć Rowleyowi,
że powinien był wypróbować kilka ciosów karate,
ale coś kazało mi wstrzymać się na razie
z tą uwagą.

Wtorek

Dziś w szkole nauczyciele wypuścili nas na zewnątrz
w czasie przerwy na lunch. Już po pięciu sekundach
ktoś zauważył, że Ser zniknął ze swojego miejsca
na asfalcie.

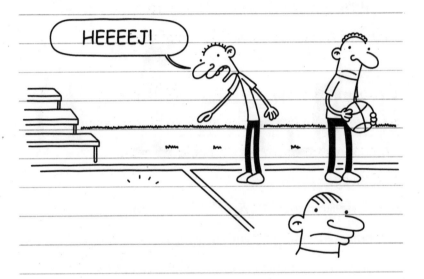

Wszyscy zebrali się dookoła, żeby obejrzeć miejsce,
gdzie leżał kiedyś Ser. Nikomu nie chciało się wierzyć,
że rzeczywiście zniknął.

Ludzie wymyślali różne szalone teorie na temat tego,
co mogło się stać. Ktoś powiedział, że Serowi wyrosły
nogi, więc mógł uciec.

Robiłem, co mogłem, żeby utrzymać język
za zębami. A gdyby Rowley nie stał tam koło mnie,
to naprawdę nie wiem, czy potrafiłbym się
powstrzymać.

Część dzieciaków kłócących się na temat Sera
dopingowała mnie i Rowleya do walki wczoraj po
południu. Wiedziałem więc, że bardzo szybko ktoś
skojarzy fakty i połapie się, że na pewno byliśmy
zamieszani w tę sprawę.

Rowley zaczął panikować i wcale mu się nie dziwię.
Gdyby prawda o zniknięciu Sera wyszła na jaw, byłby
skończony. Musiałby wynieść się ze stanu, a może
nawet z kraju.

I wtedy postanowiłem się odezwać.

Powiedziałem wszystkim, że wiem, co stało się
z Serem. Oznajmiłem, że miałem już dosyć tego
świństwa na asfalcie i że raz na zawsze się
go pozbyłem.

Na jedną sekundę wszyscy zamarli. Myślałem,
że ludzie zaczną mi dziękować za to, co zrobiłem,
ale byłem w błędzie, kurczę, w wielkim błędzie.

Naprawdę powinienem był jakoś inaczej to ująć. No bo
jeśli ja wyrzuciłem Ser, wniosek był jeden. Teraz ja
miałem Serowy Dotyk.

<u>Piątek</u>

Jeśli Rowley docenia to, co dla niego zrobiłem
w zeszłym tygodniu, to jeszcze mi tego nie powiedział.
Ale przynajmniej zaczęliśmy znowu spędzać razem
czas po lekcjach, więc nasze kontakty wróciły już
chyba do normy.

Mogę z pełnym przekonaniem powiedzieć, że jak na
razie Serowy Dotyk nie jest taki zły.

Dzięki niemu nie musiałem brać udziału w tańcach
ludowych na WF-ie, bo nikt nie chciał być moim
partnerem.

No i codziennie podczas przerwy na lunch mam dla
siebie calutki stół.

Dzisiaj jest ostatni dzień roku szkolnego i na ósmej lekcji rozdano księgi pamiątkowe. Szybko przerzuciłem kartki do strony z Klasowymi Ulubieńcami. Czekało tam na mnie to zdjęcie.

KLASOWY WESOŁEK

Powiem tak: jeśli ktoś chciałby darmową księgę, to może ją wygrzebać z kosza na śmieci w stołówce.

Jeśli o mnie chodzi, to Rowley może sobie być Klasowym Wesołkiem. Ale jeśli kiedykolwiek zacznie za bardzo zadzierać nosa, przypomnę mu po prostu, że to on zjadł _ _ _.

PODZIĘKOWANIA

Jest wielu ludzi, którzy pomogli mi w powołaniu tej książki do życia, ale cztery osoby zasługują na szczególne podziękowania:

Charlie Kochman, redaktor z wydawnictwa Abrams, którego wsparcie dla *Dziennika cwaniaczka* przerosło moje najśmielsze oczekiwania. Każdy pisarz byłby szczęśliwy, pracując z Charliem.

Jess Brallier, który rozumie siłę i potencjał publikacji w internecie i pomógł Gregowi Heffleyowi po raz pierwszy dotrzeć do szerokiej publiczności. Dziękuję Ci szczególnie za bycie moim przyjacielem i mentorem.

Patrick, który odegrał kluczową rolę w udoskonalaniu tej książki i nie bał się powiedzieć mi, które żarty są do kitu.

Moja żona, Julie, bez której niewiarygodnego wsparcia ta książka nigdy nie stałaby się rzeczywistością.

O AUTORZE

Jeff Kinney jest twórcą serii książek *Dziennik cwaniaczka*, numeru jeden na liście bestsellerów „New York Timesa". Pięć razy zdobył Nickelodeon Kids' Choice Award w kategorii Ulubiona Książka, a czasopismo „Time" umieściło go wśród Stu Najbardziej Wpływowych Ludzi Świata. Jeff stworzył również www.poptropica.com, jeden z Pięćdziesięciu Najlepszych Serwisów Internetowych według „Time". Dzieciństwo spędził w Waszyngtonie, a w 1995 roku przeniósł się do Nowej Anglii. Obecnie mieszka z żoną i dwoma synami na południu Massachusetts, gdzie otworzył księgarnię An Unlikely Story.

Wydawnictwo NASZA KSIĘGARNIA Sp. z o.o.
05-075 Warszawa-Wesoła, ul. Apteczna 6
e-mail: naszaksiegarnia@nk.com.pl
tel. 22 643 93 89

Sprzedaż wysyłkowa: tel. 22 641 56 32
e-mail: sklep.wysylkowy@nk.com.pl

www.nk.com.pl

*Książkę wydrukowano na papierze
Creamy 70 g/m² wol. 2,0.*

Redaktor prowadząca *Elżbieta Betlejewska*
Redaktor techniczny *Joanna Piotrowska*
Korekta *Anna Matysiak, Katarzyna Nowak*
Skład i łamanie *Mariusz Brusiewicz*

ISBN 978-83-10-13872-9

PRINTED IN POLAND

Wydawnictwo „Nasza Księgarnia", Warszawa 2022 r.
Druk: POZKAL, Inowrocław